JAK MÓWIĆ
do nastolatków,
żeby nas słuchały

JAK SŁUCHAĆ,
żeby z nami
rozmawiały

Adele Faber i Elaine Mazlish

JAK MÓWIĆ
do nastolatków, żeby nas słuchały

JAK SŁUCHAĆ,
żeby z nami rozmawiały

Tłumaczyła
Beata Horosiewicz

Media Rodzina

Tytuł oryginału
HOW TO TALK SO TEENS WILL LISTEN...
AND LISTEN SO TEENS WILL TALK

Projekt okładki
Sambor Mordalski

Ilustracje w tekście
Kimberly Ann Coe

ISBN 978-83-8008-282-3

Media Rodzina Sp. z o.o.
ul. Pasieka 24, 61-657 Poznań
tel. 61 827 08 60
mediarodzina@mediarodzina.pl

Łamanie
Scriptor s.c.

Druk
Abedik S.A.

Jako rodzice pragniemy być potrzebni. Potrzebą naszych nastoletnich dzieci jest nie potrzebować nas. To realny konflikt. Doświadczamy go codziennie, pomagając tym, których kochamy, stać się osobami niezależnymi od nas.

HAIM G. GINOTT
Between Parent and Teenager

SPIS TREŚCI

PRAGNIEMY PODZIĘKOWAĆ...

Naszym rodzinom i przyjaciołom za ich cierpliwość i zrozumienie podczas długiego procesu pisania oraz za to, że mieli dla nas dość sympatii, aby nie pytać: „To kiedy właściwie skończysz?".

Rodzicom, którzy wzięli udział w naszych zajęciach, za ich nieustanną chęć sprawdzania w swoich rodzinach nowych sposobów porozumiewania się oraz za dzielenie się własnymi doświadczeniami z resztą grupy. Ich relacje stały się inspiracją i dla nas, i dla innych uczestników zajęć.

Nastolatkom, z którymi pracowałyśmy, za wszystko, co nam opowiedzieli o sobie i o swoim świecie. Ich szczere zwierzenia dały nam bezcenną możliwość poznania problemów, z którymi się borykają.

Kimberly Ann Coe, niezwykłej artystce, za to, że przeobraziła nasze papierowe postaci oraz słowa, które każemy im wypowiadać, w cudownie różnorodne grono bohaterów, którzy tchnęli życie w martwe teksty.

Bobowi Markelowi, naszemu agentowi literackiemu i drogiemu przyjacielowi, za entuzjazm dla naszego pomysłu okazywany od samego początku oraz za niesłabnące wsparcie, kiedy przedzierałyśmy się przez niezliczone plany dotyczące kształtu tej książki.

Jennifer Brehl, naszej redaktorce. Jak „doskonała matka" wierzyła w nas, chwaliła za osiągnięcia i z szacunkiem wskazywała miejsca, w których to, co dobre, mogło stać się jeszcze lepsze. Miała rację – za każdym razem.

Doktorowi Haimowi Ginottowi, naszemu mentorowi. Świat jest całkowicie inny niż w czasach, gdy żył, ale jego przekonanie, że „do osiągnięcia ludzkich celów potrzebne są humanitarne metody", zawsze pozostaje prawdziwe.

JAK POWSTAŁA TA KSIĄŻKA

Zawsze istniała taka potrzeba, ale przez długi czas jej nie dostrzegałyśmy. Aż zaczęły do nas przychodzić listy takie jak ten:

Drogie Adele i Elaine,
RATUNKU! Kiedy moje dzieci były małe, Jak mówić, żeby dzieci nas słuchały. Jak słuchać, żeby dzieci do nas mówiły było moją Biblią. Ale teraz mają jedenaście i czternaście lat, a ja stanęłam przed zupełnie nowymi problemami. Czy myślałyście o tym, aby napisać książkę dla rodziców nastolatków?

Wkrótce potem odebrałyśmy telefon:

Nasze stowarzyszenie obywatelskie planuje coroczną Konferencję na Dzień Rodziny i mamy nadzieję, że zechcecie panie wygłosić przemówienie programowe na temat: Jak sobie radzić z nastolatkami.

Wahałyśmy się. Nigdy dotąd nie przedstawiałyśmy programu, który skupiałby się wyłącznie na nastolatkach. Jednak ten pomysł nas pociągał. Dlaczego nie? Mogłybyśmy zrobić przegląd podstawowych zasad skutecznego komunikowania się, ale tym razem wykorzystać przykłady z udziałem nastolatków oraz przedstawić metody, rozdzielając role między siebie.

Zaprezentowanie nowego materiału zawsze jest wyzwaniem. Nigdy nie ma pewności, czy słuchacze dobrze go odbiorą. Odebrali. Uważnie słuchali i entuzjastycznie reagowali. Podczas części przewidzianej na pytania i odpowiedzi chcieli poznać naszą opinię na każdy temat, począwszy od wyznaczania pory powrotu do domu i problemu klik, a skończywszy na pyskowaniu i karach. Po wykładzie otoczyła nas niewielka grupa rodziców, którzy chcieli z nami porozmawiać na osobności.

Jestem samotną mamą, a mój trzynastoletni syn zaczął się zadawać z najgorszymi dzieciakami w szkole. Biorą narkotyki i kto wie, co tam jeszcze. Ciągle mu powtarzam, żeby trzymał się od nich z daleka, ale nie słucha. Mam wrażenie, że to przegrana bitwa. Jak mam do niego dotrzeć?

Jestem taka zmartwiona. Widziałam e-mail, który moja jedenastoletnia córka dostała od chłopca ze swojej klasy: „Chcę cię przelecieć. Chcę włożyć swojego malutkiego do twojej dziurki". Nie wiem, co robić. Czy powinnam zadzwonić do jego rodziców? Czy powiadomić szkołę? Co mam jej powiedzieć?

Właśnie się dowiedziałam, że moja dwunastolatka pali trawkę. Jak mam się zachować?

Jestem śmiertelnie przerażona. Kiedy sprzątałam w pokoju syna, znalazłam napisany przez niego wiersz o samobójstwie. Dobrze sobie radzi w szkole. Ma przyjaciół. Nie wygląda na nieszczęśliwego. Ale może jest coś, czego nie dostrzegam. Czy mam mu powiedzieć, że znalazłam jego wiersz?

W ostatnim czasie moja córka dużo czatowała z jakimś szesnastoletnim chłopakiem. To on twierdzi, że ma szesnaście lat, ale kto wie? Teraz chce się z nią spotkać. Uważam, że powinnam z nią pójść. Jak myślicie?

Jadąc samochodem do domu, bez przerwy rozmawiałyśmy: Niesamowite, jakie problemy mają ci rodzice!... W jakim innym świecie dzisiaj żyjemy!... Ale czy czasy rzeczywiście tak bardzo się zmieniły? Czy my i nasi przyjaciele nie martwiliśmy się takimi problemami, jak seks i narkotyki, presja rówieśników, a nawet samobójstwo, gdy nasze dzieci przechodziły okres dojrzewania? Jednak mimo wszystko sprawy, o których usłyszałyśmy tego wieczoru, wydawały się gorsze, bardziej przerażające. Było z pewnością więcej powodów do trosk. A problemy zaczynały się wcześniej. Być może dlatego, że wiek dojrzewania też zaczyna się wcześniej.

———

Kilka dni później odebrałyśmy kolejny telefon, tym razem od dyrektorki szkoły:

Prowadzimy obecnie program eksperymentalny obejmujący grupę uczniów zarówno gimnazjalnych, jak i licealnych. Wszyscy rodzice dzieci objętych tym programem otrzymali egzemplarze książki *Jak mówić, żeby dzieci nas słuchały…* Ponieważ wasza książka jest dla nas taką pomocą, zastanawialiśmy się, czy nie zechciałybyście panie spotkać się z rodzicami i poprowadzić dla nich kilku godzin zajęć praktycznych.

Powiedziałyśmy dyrektorce, że rozważymy to i damy odpowiedź.

———

Przez parę następnych dni wspominałyśmy razem nastolatków, których znałyśmy najlepiej – własne dzieci. Cofnęłyśmy się w czasie, przywołując wspomnienia z lat dojrzewania naszych dzieci, lat, które dawno temu uznałyśmy za zamknięty już okres – niedobre chwile, jasne momenty oraz sytuacje, gdy zapierało nam dech. Krok po kroku wkraczałyśmy ponownie na emocjonalny obszar przeszłości, doświadczając na nowo tych samych lęków. Znowu zastanawiałyśmy się, dlaczego ten etap życia był taki trudny.

Oczywiście, że nas ostrzegano. Od dnia narodzin dzieci słyszałyśmy przestrogi: „Cieszcie się nimi teraz, kiedy są takie małe...", „Małe dzieci, mały kłopot; duże dzieci, duży kłopot". Ciągle nam powtarzano, że pewnego dnia to słodkie dziecko przeobrazi się w ponurego obcego człowieka, który będzie krytykował nasz gust, podważał nasze metody i odrzucał wartości.

Mimo że byłyśmy do pewnego stopnia przygotowane na zmiany w zachowaniu dzieci, nikt nas nie przygotował na to, że będziemy mieć poczucie straty.

Straty dawnej, bliskiej więzi. („Kim jest ta wrogo nastawiona osoba mieszkająca w moim domu?")

Utraty pewności siebie. („Dlaczego on się tak zachowuje? Czy coś zrobiłam nie tak... a może nie zrobiłam?")

Utraty zadowolenia z faktu, że jest się potrzebnym. („Nie, nie musisz przychodzić. Idę z kolegami".)

Utraty własnego wizerunku jako wszechmocnego obrońcy, który uchroni dzieci przed krzywdą. („Już po północy. Gdzie ona jest? Co robi? Dlaczego jeszcze nie ma jej w domu?")

A jeszcze większy niż poczucie straty był nasz strach. („Jak mamy pomóc dzieciom przebrnąć przez te trudne lata? Jak sami mamy przez nie przebrnąć?")

Jeśli tak to wyglądało w naszych czasach, jedno pokolenie wstecz, to jak muszą czuć się dzisiaj matki i ojcowie? Wychowują dzieci w kręgu kultury, która jest bardziej niż kiedykolwiek podła, chamska, okrutna, materialistyczna, nasycona seksem i przemocą. Czy dzisiejsi rodzice nie mają prawa czuć się przytłoczeni? Czy nie dlatego zmuszeni są wybierać postawy skrajne?

Nietrudno zrozumieć, dlaczego reakcją niektórych z nich jest coraz większa surowość – nic dziwnego, że narzucają swoją wolę, wymierzają kary za każde wykroczenie, nawet najmniejsze, i trzymają swoje nastoletnie dzieci na krótkiej smyczy. Jesteśmy również w stanie zrozumieć, dlaczego inni rodzice poddają się, rozkładają bezradnie ręce, udają, że nie widzą, i mają nadzieję, że będzie lepiej. Jednak obie te postawy – „Rób, co każę" oraz „Rób, co chcesz" – wykluczają możliwość porozumienia. Dlaczego młody człowiek miałby się zdobyć na otwartość wobec rodzica, który go karze? Dlaczego miałby szukać przewodnictwa rodzica, który na wszystko daje przyzwolenie? Jednak dobre samopoczucie naszych nastolatków – czasami wręcz ich bezpieczeństwo – zależy od tego, aby mogli korzystać z przemyśleń i wartości swoich rodziców. Nastolatki muszą mieć możliwość wyrażenia swoich wątpliwości, powierzenia swoich lęków i przeanalizowania opcji z osobą dorosłą, która wysłucha ich bez osądzania i pomoże podjąć odpowiedzialne decyzje.

Kto inny, jeśli nie mama i/lub tata będzie przy nich każdego dnia w tych krytycznych latach i pomoże ocenić zwodnicze przekazy mediów? Kto pomoże im oprzeć się presji rówieśników? Kto pomoże radzić sobie z problemem klik i okrucieństwem, z ogromnym pragnieniem akceptacji, ze strachem przed odrzuceniem, z całym tym przerażeniem, podnieceniem i zagubieniem towarzyszącym okresowi dojrzewania? Kto pomoże im walczyć z przymusem konformizmu oraz realizować pragnienie wierności samemu sobie?

Życie z nastolatkami może być przytłaczające. Wiemy. Pamiętamy. Ale pamiętamy również, jak w tych burzliwych latach kurczowo trzymałyśmy się metod, które poznałyśmy, i jak bardzo pomogły nam one w żeglowaniu po najbardziej wzburzonych wodach, chroniąc przez utonięciem.

Przyszedł wreszcie czas, żeby przekazać innym to, co miało dla nas tak wielkie znaczenie. I dowiedzieć się od obecnego pokolenia rodziców, co dla nich jest ważne.

Zadzwoniłyśmy do dyrektorki i ustaliłyśmy termin pierwszych zajęć dla rodziców nastolatków.

SŁOWO OD AUTOREK

Książka ta powstała na podstawie wielu zajęć, które prowadziły-
śmy w całym kraju, oraz spotkań, odrębnych i wspólnych, które
zorganizowałyśmy dla rodziców i nastolatków w Nowym Jorku
i na Long Island. Aby opowiedzieć tę historię w sposób jak naj-
prostszy, połączyłyśmy nasze liczne grupy w jedną, a z nas dwu
uczyniłyśmy jedną prowadzącą. Chociaż zmieniłyśmy imiona
i kolejność wydarzeń, istota naszego doświadczenia została uka-
zana w sposób całkowicie wierny.

Adele Faber i Elaine Mazlish

1 Jak radzić sobie z uczuciami

Nie wiedziałam, czego się spodziewać.

Biegnąc z parkingu do szkoły, trzymałam się kurczowo targanej wiatrem parasolki i zastanawiałam się, dlaczego ktokolwiek miałby wychodzić z ciepłego domu w taki zimny, okropny wieczór, by uczestniczyć w zajęciach o nastolatkach. Przy wejściu powitała mnie szefowa działu poradnictwa i zaprowadziła do klasy, w której siedziało około dwudziestu rodziców.

Przedstawiłam się, pogratulowałam im, że nie przelękli się brzydkiej pogody, i rozdałam kartki, na których mieli napisać swoje imiona. Gdy pisali, gawędząc między sobą, miałam okazję bliżej się im przyjrzeć. Grupa była zróżnicowana – niemal tyle samo mężczyzn, ile kobiet, różne pochodzenie etniczne, kilka małżeństw, pozostali w pojedynkę, niektórzy ubrani jeszcze jak do pracy, inni w dżinsach.

Kiedy skończyli pisać, poprosiłam, żeby się przedstawili i opowiedzieli nam trochę o swoich dzieciach.

Uczynili to bez wahania. Kolejno opowiadali o dzieciach, które były w wieku od dwunastu do szesnastu lat. Niemal każdy podkreślał, jak trudno jest radzić sobie z nastolatkami w dzisiejszym świecie. Mimo to odnosiłam wrażenie, że rodzice kontrolują się, nie mówią wszystkiego, aby przypadkiem nie ujawnić zbyt wiele wobec tylu obcych osób zgromadzonych na sali.

– Zanim przejdziemy do dalszej części – powiedziałam – chcę was zapewnić, że wszystko, o czym tutaj rozmawiamy, jest poufne. Cokolwiek zostanie tu powiedziane, nie wyjdzie poza te cztery ściany. Nikt inny nie ma prawa się dowiedzieć, czyje dziecko pali, pije, wagaruje albo zaczyna życie seksualne wcześniej, niżbyśmy sobie życzyli. Czy wszyscy wyrażają na to zgodę?

Skinęli głowami.

– Uważam, że jesteśmy partnerami w ekscytującym przedsięwzięciu – mówiłam dalej. – Moim zadaniem będzie przedstawienie metod porozumiewania się, które mogą doprowadzić do bardziej satysfakcjonującej więzi między rodzicami a nastolatkami. Waszym zadaniem będzie sprawdzenie tych metod – wprowadzenie ich w życie w domu i opowiedzenie grupie o własnych doświadczeniach. Czy metody okazały się pomocne czy też nie? Czy sprawdziły się w działaniu czy nie? Wspólnymi siłami określimy najbardziej skuteczne sposoby, które pomogą naszym dzieciom pokonać to trudne przejście z dzieciństwa do dorosłości.

Przerwałam, czekając na reakcję grupy.

– Dlaczego to musi być trudne przejście? – zaprotestował jeden z ojców. – Nie pamiętam, abym przeżywał taki trudny okres, będąc nastolatkiem. I nie pamiętam, żebym sprawiał trudności rodzicom.

– Bo byłeś łatwym dzieckiem – powiedziała jego żona, uśmiechając się i klepiąc go po ramieniu.

– No tak, może było łatwiej być łatwym, kiedy my byliśmy nastolatkami – wtrącił inny mężczyzna. – Nie słyszało się w tamtych czasach o takich rzeczach, jakie dzieją się dzisiaj.

– Przypuśćmy, że wszyscy cofamy się do tamtych czasów – powiedziałam. – Myślę, że pamiętamy takie rzeczy z naszego okresu dojrzewania, które mogą dać nam pewne pojęcie o tym, czego doświadczają dzisiaj nasze dzieci. Na początek spróbujmy sobie przypomnieć, co było najlepsze w tym okresie naszego życia.

Michael, mężczyzna, który był „łatwym dzieckiem", zabrał głos pierwszy.

– Najlepszą rzeczą dla mnie był sport i przebywanie z przyjaciółmi.

Ktoś inny powiedział:

– Dla mnie najlepsze było to, że wolno mi było samemu przychodzić i wychodzić. Samemu jeździć metrem. Chodzić do miasta. Wsiadać do autobusu i jechać na plażę. Czysta radość!

Dołączyły się inne głosy.

– To, że wolno mi było nosić wysokie obcasy i malować się. I cała ta gorączka na punkcie chłopaków. Mogłyśmy podkochiwać się z koleżankami w tym samym chłopaku i ciągle było: „Myślisz, że ja mu się podobam? A może ty mu się podobasz?".

– Życie było wtedy takie łatwe. W weekendy mogłem spać do dwunastej. Nie trzeba było się martwić szukaniem pracy, płaceniem czynszu, utrzymywaniem rodziny. I żadnych trosk o jutro. Wiedziałem, że zawsze mogę liczyć na rodziców.

– Dla mnie był to czas badania, kim jestem, eksperymentowania z różnymi tożsamościami i marzeń na temat przyszłości. Mogłam do woli fantazjować, ale czułam się bezpiecznie w swojej rodzinie.

Jedna z kobiet potrząsnęła głową.

– Dla mnie – powiedziała ze smutkiem – najlepszą rzeczą w okresie dojrzewania było to, że z niego wyrosłam.

Spojrzałam na jej karteczkę z imieniem.

– Karen – zaczęłam – chyba nie był to najlepszy okres w twoim życiu.

- Prawdę mówiąc, poczułam ulgę, kiedy to się skończyło.
- Co się skończyło? – ktoś zapytał.

Karen wzruszyła ramionami, zanim odpowiedziała.

- Zamartwianie się, czy mnie akceptują... te ogromne starania... uśmiechanie się na pokaz, aby ludzie mnie polubili... wieczne poczucie, że nie pasuję do innych... ciągłe wrażenie, że jestem outsiderem.

Inni prędko dodawali swoje uwagi do poruszonego przez nią tematu, nawet ci, którzy chwilę wcześniej mówili z zachwytem o latach dorastania.

- Wiem coś o tym. Pamiętam, że czułam się taka niezręczna i niepewna. Miałam wtedy nadwagę i nienawidziłam swojego wyglądu.

- Wspominałam o tym podnieceniu na punkcie chłopców, ale prawdę mówiąc, przypominało to raczej jakąś obsesję – przymilanie się do chłopaków, zrywanie, tracenie przez nich przyjaciółek. Myślałam wyłącznie o chłopcach i było to widać po moich ocenach. Niewiele brakowało, a nie skończyłabym szkoły.

- Mój problem w tamtym czasie polegał na tym, że koledzy wywierali na mnie ogromny wpływ i przez to robiłem rzeczy, które były złe czy niebezpieczne i dobrze o tym wiedziałem. Zrobiłem wiele głupot.

- Pamiętam, że ciągle byłam zagubiona. Kim jestem? Co lubię? Czego nie lubię? Czy jestem autentyczna, czy jestem papugą? Czy mogę być sobą i nadal liczyć na akceptację?

Podobała mi się ta grupa. Doceniałam ich szczerość.

- Powiedzcie mi – zapytałam – czy w czasie tych burzliwych lat wasi rodzice powiedzieli lub zrobili coś, co wam pomogło?

Wszyscy szukali w pamięci.

- Moi rodzice nigdy na mnie nie krzyczeli przy kolegach. Jeśli zrobiłem coś złego, na przykład wróciłem bardzo późno do domu, a byli ze mną koledzy, to moi rodzice czekali, aż sobie pójdą. A potem się zaczynało.

- Mój ojciec powtarzał często takie słowa: „Jim, musisz bronić swoich przekonań... Kiedy masz wątpliwości, odwołaj się do sumienia... Nie możesz ciągle bać się pomyłki, bo nigdy nie będziesz mieć racji". Myślałem sobie: „Znowu przynudza", ale czasem naprawdę kierowałem się jego słowami.

- Moja matka ciągle naciskała, żebym była lepsza. „Stać cię na więcej... Sprawdź to jeszcze raz... Przejrzyj to". Nigdy mi nie odpuszczała. Za to mój ojciec uważał, że jestem idealna. Wiedziałam więc, do kogo z czym się zwracać. Dobrze się uzupełniali.

- Moi rodzice zmuszali mnie, żebym posiadła różnorodne umiejętności – jak planować budżet, zmieniać oponę. Kazali mi nawet czytać codziennie pięć stron po hiszpańsku. Wtedy tego nie cierpiałam, ale to właśnie dzięki znajomości hiszpańskiego dostałam dobrą pracę.

- Wiem, że nie powinnam tego mówić, bo prawdopodobnie jest tu dużo pracujących matek, łącznie ze mną, ale naprawdę bardzo lubiłam to, że mama była w domu, kiedy wracałam ze szkoły. Jeśli w szkole przytrafiło mi się coś niemiłego, zawsze mogłam jej o tym opowiedzieć.

- A więc – podsumowałam – dla wielu z was rodzice byli dużym wsparciem w okresie dojrzewania.

- To tylko część prawdy – odezwał się Jim. – Chociaż mój ojciec mówił wiele pozytywnych rzeczy, to jednak często mnie ranił. Nigdy nie mogłem go zadowolić. I dawał mi to odczuć.

Słowa Jima otworzyły tamę. Popłynął potok niedobrych wspomnień.

- Nie mogłam liczyć na wsparcie ze strony matki. Miałam mnóstwo problemów i rozpaczliwie potrzebowałam wskazówek, ale ona wiecznie tylko powtarzała to samo: „Kiedy byłam w twoim wieku...". Po jakimś czasie doszłam do wniosku, że lepiej nic jej nie mówić.

– Moi rodzice mieli zwyczaj wpędzać mnie w poczucie winy: „Jesteś naszym jedynym synem... Oczekujemy od ciebie więcej... Nie wykorzystujesz swoich możliwości".

– Potrzeby moich rodziców zawsze były ważniejsze od moich. Zwalali na mnie swoje problemy. Byłam najstarsza z sześciorga dzieci i wymagali, żebym gotowała i sprzątała, zajmowała się braćmi i siostrami. Nie miałam czasu być nastolatką.

– U mnie było odwrotnie. Ciągle mnie niańczyli i byli tacy nadopiekuńczy, że czułam się niezdolna do podjęcia jakiejkolwiek decyzji bez aprobaty rodziców. Dopiero po wielu latach terapii nabrałam trochę pewności siebie.

– Moi rodzice pochodzili z innego kraju – zupełnie inna kultura. W moim domu wszystko było surowo zakazane. Nie mogłam kupować tego, co chciałam, chodzić tam, gdzie chciałam, ubierać się tak, jak chciałam. Nawet w ostatniej klasie liceum musiałam prosić o zgodę na wszystko.

Kobieta o imieniu Laura zabrała głos ostatnia.

– Moja matka wpadła w inną skrajność. Była zdecydowanie zbyt pobłażliwa. Nie narzucała żadnych zasad. Wychodziłam i przychodziłam, kiedy mi się podobało. Mogłam być poza domem do drugiej lub trzeciej nad ranem i nikogo to nie obchodziło. Nigdy nie mówiła, o której mam wrócić, ani nie interweniowała w żadnej sprawie. Pozwalała mi nawet ćpać w domu. Kiedy miałam szesnaście lat, brałam kokainę i piłam. To przerażające, jak szybko się stoczyłam. Ciągle jeszcze odczuwam złość na matkę za to, że nawet nie próbowała wpoić mi jakichś zasad. Zrujnowała mi wiele lat życia.

Wszyscy zamilkli, zaszokowani tym, co przed chwilą usłyszeli.

- Rodzice mogą mieć dobre chęci, ale mimo to nieźle namieszać w życiu dzieci – powiedział w końcu Jim

- Ale wszyscy przeżyliśmy – zaprotestował Michael. – Dorośliśmy, pożeniliśmy się, mamy własne rodziny. Tak czy inaczej, udało nam się stać dorosłymi ludźmi, którzy normalnie funkcjonują.

- Może to i prawda – dodała Joan, kobieta, która wspominała o swojej terapii – ale zbyt wiele czasu i energii zabrało nam pogrzebanie niedobrej przeszłości.

- Pewnych rzeczy nie da się zapomnieć – dodała Laura. – Dlatego tu jestem. Moja córka zaczyna się zachowywać w sposób, który mnie martwi, a nie chcę powtórzyć tego, co zrobiła mi moja matka.

Słowa Laury skierowały uwagę wszystkich na teraźniejszość. Jeden po drugim rodzice zaczęli mówić o swoich dzisiejszych obawach związanych z dziećmi.

- Najbardziej martwi mnie obecne zachowanie mojego syna. Nie chce się stosować do żadnych zasad. Jest buntownikiem. Tak samo jak ja, kiedy miałem piętnaście lat. Tylko że ja to ukrywałem, a on się z niczym nie kryje. Za wszelką cenę stara się zrobić wrażenie.

- Moja córka ma dopiero dwanaście lat, ale z całych sił łaknie akceptacji – szczególnie ze strony chłopców. Obawiam się, że pewnego dnia pójdzie na jakieś ustępstwa tylko po to, żeby się przypodobać.

- Martwię się nauką mojego syna. Teraz już wcale się nie przykłada. Nie wiem, czy za bardzo zaangażował się w sport, czy po prostu jest leniwy.

- Mojemu synowi zależy teraz tylko na nowych przyjaciołach i na tym, żeby być *cool*. Nie podobają mi się te osoby. Myślę, że mają na niego zły wpływ.

- Moja córka to jakby dwie różne osoby. Poza domem jest jak laleczka – słodka, milutka, grzeczna. Ale w domu inna śpiewka. Kiedy tylko jej powiem, że nie może czegoś zrobić czy czegoś dostać, zachowuje się obrzydliwie.

- Z moją jest tak samo. Tylko że moja zachowuje się obrzydliwie wobec swojej nowej macochy. To bardzo drażliwa sytuacja – szczególnie kiedy wszyscy mamy spędzić razem weekend.

- To wszystko, co dotyczy dzisiejszych nastolatków, jest bardzo niepokojące. Dzieciaki nie mają pojęcia, co palą i co piją. Słyszałam tyle historii o imprezach, na których chłopcy wsypują narkotyk do drinka dziewczyny i o gwałtach na randkach.

Atmosfera stała się ciężka od niepokoju wszystkich rodziców.

Karen zaśmiała się nerwowo.

- Skoro już wiemy, jakie mamy problemy, to błyskawicznie potrzebujemy odpowiedzi!

- Nie ma szybkich odpowiedzi – powiedziałam. – Nie w wypadku nastolatków. Nie możecie ich ochronić przed wszystkimi niebezpieczeństwami dzisiejszego świata ani oszczędzić im emocjonalnej burzy okresu dojrzewania, czy odciąć od popkultury, która ich bombarduje szkodliwymi przekazami. Ale jeśli potraficie stworzyć w waszych domach taki klimat, aby dzieci czuły, że mogą swobodnie wyrazić swoje uczucia, to istnieje duża szansa, że będą też bardziej skłonne wysłuchać, co wy czujecie. Że będą w stanie rozważyć punkt widzenia dorosłych oraz zaakceptować wprowadzone przez was ograniczenia. Istnieje też większe prawdopodobieństwo, że wasze wartości będą dla nich ochroną.

- To znaczy, że jeszcze jest nadzieja! – wykrzyknęła Laura. – Nie jest za późno? W zeszłym tygodniu obudziłam się z okropnym uczuciem paniki. Prześladowała mnie myśl, że moja córka nie jest już małą dziewczynką i że nie ma odwrotu. Leżałam jak sparaliżowana i rozmyślałam o wszystkim, co źle zrobiłam, wychowując ją. Potem poczułam się bardzo przygnębiona i winna.

W końcu wpadła mi do głowy jeszcze jedna myśl. Przecież jeszcze żyję. A ona wciąż mieszka w moim domu. A poza tym zawsze będę jej matką. Być może mogę się nauczyć, jak być lepszą matką. Proszę, niech mi pani powie, że nie jest za późno.

  – Z mojego doświadczenia wynika – zapewniłam ją – że nigdy nie jest za późno, aby poprawić więź z dzieckiem.

  – Naprawdę?

  – Naprawdę.

Przyszedł czas na pierwsze ćwiczenie.

———

  – Wyobraźmy sobie, że jestem nastolatką – zwróciłam się do grupy. – Powiem wam o paru rzeczach, które mnie gnębią, i poproszę, abyście zareagowali w taki sposób, który z pewnością zraziłby większość dzieci. Zaczynamy.

„Nie wiem, czy chcę iść do college'u".
Moi „rodzice" natychmiast zareagowali:
„Nie bądź śmieszna. Oczywiście, że pójdziesz do college'u".
„To najgłupsza rzecz, jaką w życiu słyszałam".
„Nie do wiary, że to w ogóle powiedziałaś. Chcesz złamać serce swoim dziadkom?"

Wszyscy się roześmiali. Wypowiadałam dalej swoje troski i żale:

„Dlaczego to zawsze ja muszę wynosić śmieci?"
„Bo nic innego tutaj nie robisz, poza jedzeniem i spaniem".

„A dlaczego to zawsze ty musisz narzekać?"
„Dlaczego twój brat nie robi mi scen, kiedy proszę go o pomoc?"

„Dzisiaj przyszedł policjant i zrobił baaardzo długi wykład o narkotykach. Co za nudziarz! Chciał nas tylko nastraszyć".
„Nastraszyć was? Próbował wlać wam trochę oleju do głowy".
„Jeśli kiedykolwiek cię przyłapię na braniu narkotyków, to naprawdę będziesz miała się czego bać".
„Kłopot z wami, dzieciaki, polega dziś na tym, że wam się wydaje, że wszystko wiecie. Otóż wyobraź sobie, że musicie się jeszcze dużo nauczyć".

„Nic mnie nie obchodzi, że mam gorączkę. Nie opuszczę tego koncertu. Nie ma mowy!"
„To ty tak uważasz. Nigdzie dzisiaj nie pójdziesz – tylko do łóżka".
„Dlaczego chcesz zrobić coś tak głupiego? Przecież jeszcze jesteś chora".
„To nie koniec świata. Będzie wiele innych koncertów. Może puścisz sobie ostatni album zespołu, zamkniesz oczy i będziesz udawać, że jesteś na koncercie?"

Michael żachnął się.
– O tak, to by było przyjęte naprawdę źle!
– Prawdę mówiąc – powiedziałam – z punktu widzenia dziecka przyjęłam „naprawdę źle" wszystko, co tu usłyszałam. Zlekceważyliście moje uczucia, ośmieszyliście przemyślenia, skrytykowaliście moje sądy i udzieliliście mi nieproszonych rad. I to wszystko przyszło wam tak łatwo. Jak to możliwe?

– Bo właśnie to jest w naszych głowach – odparła Laura.
– Właśnie to słyszeliśmy, będąc dziećmi. To nam przychodzi
w naturalny sposób.

– Ja również uważam – ciągnęłam – że czymś naturalnym
dla rodziców jest odsuwanie bolesnych czy przygnębiających
uczuć. Trudno jest nam słuchać, kiedy nasze nastoletnie dzieci
wyrażają swoje zakłopotanie, żal, rozczarowanie czy zniechęcenie. Nie możemy znieść, że są nieszczęśliwe. Więc mając jak
najlepsze intencje, lekceważymy ich uczucia i narzucamy naszą
dorosłą logikę. Chcemy im pokazać, jaki jest „właściwy" sposób
odczuwania.

A tymczasem to właśnie nasza umiejętność słuchania może
im dać największą pociechę. To nasza akceptacja faktu, że dzieci
czują się nieszczęśliwe, sprawi, że łatwiej im będzie poradzić
sobie z tymi uczuciami.

– O rany! – zawołał Jim. – Gdyby tu była moja żona, powie-
działaby: „No widzisz, właśnie to próbowałam ci wytłumaczyć.
Nie próbuj być logiczny. Nie zadawaj tych wszystkich pytań.
Nie mów mi, co zrobiłam źle i co powinnam zrobić następnym
razem. Tylko s ł u c h a j!".

– Wiecie, co sobie uświadomiłam? – spytała Karen. – Przez
większość czasu ja naprawdę słucham wszystkich, tylko nie
dzieci. Gdyby któraś z moich przyjaciółek miała zmartwienie, to
nawet by mi nie przyszło do głowy, żeby jej mówić, co ma robić.
Ale z dziećmi to zupełnie inna bajka. Od razu się wtrącam. Może
to dlatego, że słucham ich z pozycji rodzica. I jako rodzic czuję,
że muszę wszystko naprawić.

ZAMIAST ODRZUCAĆ UCZUCIA,

Mama nie chce, żeby Abby była przygnębiona.
Ale zaprzeczając uczuciom córki, niechcący jeszcze pogłębia
jej smutek.

OKREŚL MYŚLI I UCZUCIA.

Mama nie może zdjąć z barków Abby całego cierpienia, ale wyrażając słowami jej myśli i uczucia, pomaga córce poradzić sobie z faktami i zebrać odwagę do zrobienia kolejnego kroku.

ZAMIAST LEKCEWAŻYĆ UCZUCIA,

Mama ma dobre intencje. Chce, żeby syn dobrze sobie radził w szkole. Ale krytykując jego zachowanie, lekceważąc jego zatroskanie i mówiąc mu, co należy zrobić, utrudnia mu samodzielne zastanowienie się nad tym, co ma zrobić.

POTWIERDŹ UCZUCIA, WTRĄCAJĄC SŁOWO LUB MRUKNIĘCIE (MHM, AHA, OJEJ, ROZUMIEM, ACH TAK).

Dzięki krótkim, pełnym empatii odpowiedziom mamy syn czuje, że mama go rozumie, i może skoncentrować się na tym, co musi zrobić.

ZAMIAST LOGIKI I WYJAŚNIEŃ,

Kiedy tata w odpowiedzi na nierozsądne żądanie córki udziela rozsądnego wyjaśnienia, to tylko pogłębia jej frustrację.

DAJ W WYOBRAŹNI TO, CZEGO NIE MOŻESZ DAĆ W RZECZYWISTOŚCI.

Dając córce w wyobraźni to, czego chce, tata nieco jej ułatwia zaakceptowanie faktów.

Aby uszczęśliwić syna i uniknąć kłótni, mama lekceważy swoją prawidłową
ocenę sytuacji i wybiera linię najmniejszego oporu.

AKCEPTUJ UCZUCIA, PROSTUJĄC ZACHOWANIE, KTÓRE JEST NIE DO ZAAKCEPTOWANIA.

Okazując synowi empatię w kłopotliwej sytuacji, mama ułatwia mu nieco zaakceptowanie twardych ograniczeń.

– To wielkie wyzwanie. Trzeba przejść od myślenia: „jak wszystko naprawić?" do myślenia: „jak dać dzieciom możliwość samodzielnego naprawienia wszystkiego?". – Sięgnęłam do teczki i rozdałam ilustracje, które przygotowałam na pierwsze spotkanie. – Proszę. Tutaj w formie rysunków przedstawiono podstawowe zasady i umiejętności, które mogą pomóc naszym nastolatkom w sytuacji, kiedy mają kłopot czy zmartwienie. W każdym wypadku zobaczycie różnicę między takim sposobem rozmowy, który może pogłębić ich zmartwienie, a takim, który pomoże im poradzić sobie z nim. Nie ma żadnej gwarancji, że nasze słowa spowodują taką pozytywną reakcję, jaką widać na rysunkach, ale przynajmniej nie wyrządzą szkody.

Jeszcze zanim wszyscy skończyli czytać, pojawiły się komentarze.

– Chyba musiała pani być w moim domu! Mówię dokładnie to, czego nie powinnam mówić.

– Niepokoi mnie, że wszystkie te scenariusze tak szczęśliwie się kończą. Moje dzieci nigdy by nie zrezygnowały ani nie ustąpiły tak łatwo.

– Ale tu nie chodzi o to, żeby dzieci rezygnowały czy ustępowały. Chodzi o to, żeby naprawdę usłyszeć, co czują.

– No tak, ale żeby to osiągnąć, trzeba słuchać w inny sposób.

– I mówić w inny sposób. To jak nauka zupełnie nowego języka.

– A żeby posługiwać się nim bez trudu – powiedziałam – żeby stał się naszym językiem, potrzebne są ćwiczenia. Zacznijmy od razu. Odegram znowu rolę waszego nastoletniego dziecka. Będę mówiła o tych samych zmartwieniach, ale tym razem, mamo i tato, odpowiecie, stosując kolejno metody, które właśnie widzieliście na ilustracjach.

Rodzice od razu zaczęli przerzucać kartki z rysunkami. Dałam im na to chwilę, a potem zaczęłam wyliczać swoje zmartwienia. Niektóre reakcje grupy były bardzo szybkie, inne wymagały zastanowienia. Rodzice zaczynali, przerywali, poprawiali się i w końcu znajdowali słowa, które ich zadowalały.

„Nie wiem, czy chcę iść do college'u".
„Widzę, że masz poważne wątpliwości".
„Zastanawiasz się, czy college jest dla ciebie odpowiedni".
„Wiesz, co byłoby fajne? Gdybyś mogła zajrzeć do szklanej kuli i zobaczyć, jak będzie wyglądało twoje życie, jeśli pójdziesz do college'u... i jeśli nie pójdziesz".

„Dlaczego to zawsze ja muszę wynosić śmieci?"
„O, widzę, że bardzo tego nie lubisz".
„To nie jest twoje ulubione zajęcie. Jutro możemy porozmawiać o dyżurach. W tej chwili potrzebuję twojej pomocy".
„Czy nie byłoby wspaniale, gdyby śmieci wyniosły się same?"

„Dzisiaj przyszedł policjant i zrobił baaardzo długi wykład o narkotykach. Co za nudziarz! Chciał nas tylko nastraszyć".
„Więc uważasz, że przesadzał, próbując nastraszyć dzieciaki, aby trzymały się z dala od narkotyków".
„Takie strategie strachu naprawdę cię odstręczają".
„Pewnie wolałabyś, aby dorośli przekazywali dzieciom informacje w sposób bezpośredni i ufali, że one same podejmą odpowiedzialne decyzje".

„Nic mnie nie obchodzi, że mam gorączkę. Nie opuszczę tego koncertu. Nie ma mowy!"
„Co za pech – żeby być chorym akurat dzisiaj! Od kilku tygodni czekałaś na ten koncert".
„Wiem, tak bardzo chciałabyś iść. Problem w tym, że z taką wysoką gorączką musisz leżeć w łóżku".
„Chociaż wiesz, że będzie mnóstwo innych koncertów, bardzo żałujesz, że nie możesz być akurat na tym jednym".

Kiedy ćwiczenie dobiegło końca, rodzice wydawali się zadowoleni z siebie.

– Chyba zaczynam to rozumieć! – zawołała Laura. – Cały pomysł polega na tym, żeby jak najlepiej wyrazić to, co naszym zdaniem dziecko czuje, ale powstrzymać się od mówienia, co my sami czujemy.

– I właśnie to budzi moje zastrzeżenia – powiedział Jim. – Kiedy mam mówić o tym, co ja czuję, powiedzieć to, co chcę powiedzieć? Na przykład: „Domowe obowiązki to twój wkład w rodzinne życie". „Nauka w college'u to przywilej. To może zmienić twoje życie". „Branie narkotyków to głupota, można sobie zrujnować życie".

– No tak – zgodził się Michael. – Przede wszystkim jesteśmy rodzicami. Kiedy mamy mówić o tym, w co sami wierzymy, czy też o tym, jakie wartości sami cenimy?

– Zawsze znajdzie się czas na to, żebyście mogli przekazać takie informacje – wyjaśniłam. – Jednak istnieje większa szansa, że zostaniecie wysłuchani, jeśli najpierw dacie dzieciom do zrozumienia, że słyszycie, co do was mówią. Co prawda nawet wtedy nie ma żadnych gwarancji. Dzieci mogą was oskarżyć o brak zrozumienia, brak rozsądku czy staroświeckie podejście. Jednak nie popełniacie żadnego błędu. Pomimo

docinków i protestów wasze nastoletnie dzieci chcą dokładnie
wiedzieć, jakie jest wasze stanowisko. Wasze wartości i przekonania wywierają najistotniejszy wpływ na podejmowane
przez nich decyzje.

Wzięłam głęboki oddech. Tego wieczoru poruszyliśmy wiele
spraw. Rodzice powinni teraz pójść do domu i przetestować
to, czego się nauczyli. Do tej pory polegali tylko na sile mojej
argumentacji. Dopiero wprowadzając te metody w życie we
własnych domach i obserwując rezultaty, mogli sami nabrać
do nich przekonania.

– Do zobaczenia za tydzień – powiedziałam. – Nie mogę się
doczekać tej chwili, kiedy opowiecie mi o swoich doświadczeniach.

RELACJE

Nie wiedziałam, co wyniknie z naszego pierwszego spotkania.
Dość łatwo jest posługiwać się nowymi metodami do rozwiązywania teoretycznych problemów, kiedy siedzi się razem
z innymi rodzicami na zajęciach. Gorzej zaś, gdy człowiek jest
zdany tylko na siebie w domu i musi samodzielnie radzić sobie
z prawdziwymi dziećmi i prawdziwymi problemami. A jednak
wielu rodziców dokonało tego. Przedstawiamy dalej, z małymi
poprawkami redakcyjnymi, wycinek ich doświadczeń. (Czytel-
nicy zauważą, że większość historii przekazały te same osoby,
które aktywnie uczestniczyły w zajęciach. Jednakże niektóre
historie opowiedzieli rodzice, którzy rzadko włączali się do dyskusji, ale którzy chcieli przedstawić innym – na piśmie – w jaki
sposób nowe umiejętności wpłynęły na ich kontakty z nastoletnimi dziećmi).

JOAN

Moja córka Rachel od jakiegoś czasu wyraźnie była w dołku. Jednak kiedy prosiłam ją, żeby mi powiedziała, co jest nie w porządku, odpowiadała:

– Nic.

Ja na to mówiłam:

– Jak mam ci pomóc, skoro nie chcesz mi powiedzieć?

Ona z kolei odpowiadała:

– Nie chcę o tym rozmawiać.

A ja dodawałam:

– Może jeśli porozmawiasz, poczujesz się lepiej.

Wtedy spoglądała na mnie tylko i na tym się kończyło.

Ale po naszej dyskusji na zajęciach w zeszłym tygodniu postanowiłam zastosować „nowe podejście".

– Rachel – zaczęłam. – Ostatnio wydajesz się bardzo nieszczęśliwa. Z jakiegoś powodu czujesz się naprawdę źle, a ja nie wiem, z jakiego.

Na te słowa łzy zaczęły spływać jej po policzkach i stopniowo opowiedziała mi całą historię. Dwie dziewczyny, które były jej przyjaciółkami przez całą szkołę podstawową i gimnazjum, dołączyły teraz do nowej popularnej paczki, a ją wykluczyły. Nie zajmowały dla niej miejsca przy stoliku w czasie obiadu, tak jak to dotąd robiły, nie zapraszały na żadne imprezy. Mijając ją na korytarzu, ledwie rzucały zdawkowe „cześć". I była pewna, że to jedna z nich wysłała e-mail do innych dzieciaków, że Rachel grubo wygląda w swoich „głupkowatych" ciuchach, które nawet nie mają firmowych naszywek.

Byłam zaszokowana. Słyszałam, że w szkole dzieją się podobne rzeczy, i wiedziałam, jakie okrutne potrafią być niektóre dziewczęta, ale nawet sobie nie wyobrażałam, że coś takiego przytrafi się mojej córce.

Pragnęłam tylko ukoić jej cierpienie. Powiedzieć, żeby zapomniała o tych paskudnych, zepsutych dziewczynach. Będzie miała nowych przyjaciół. Lepszych. Przyjaciół, którzy potrafią docenić, jaką jest wspaniałą dziewczyną. Ale nic takiego nie powiedziałam. Mówiłam natomiast o jej uczuciach.

– Och, kochanie, to takie przykre. Jak bardzo musisz cierpieć, kiedy wiesz, że ludzie, którym ufałaś i których uważałaś za przyjaciół, nie są tak naprawdę twoimi przyjaciółmi.

– Jak one mogły być takie podłe! – zawołała i znowu się rozpłakała.

Potem powiedziała mi o jeszcze jednej dziewczynie, do której uczniowie pogardliwie odnosili się w sieci – mówiąc, że cuchnie potem i siuśkami.

Nie mogłam uwierzyć w to, co usłyszałam. Powiedziałam Rachel, że tego rodzaju zachowanie świadczy tylko jak najgorzej o ludziach, którzy to robią, ale niczego nie mówi o atakowanych osobach. Najwyraźniej te dziewczyny uznały, że jedynym sposobem na to, aby czuły się wyjątkowe, przynależące do zamkniętej grupy, jest wykluczenie wszystkich innych.

Przytakiwała, a potem długo rozmawiałyśmy – o prawdziwych i fałszywych przyjaciołach oraz o tym, jak ich odróżnić. Po jakimś czasie zauważyłam, że zaczęła się czuć trochę lepiej.

Tego samego nie mogłam jednak powiedzieć o sobie. Następnego dnia, kiedy odwiozłam Rachel do szkoły, skontaktowałam się z jej wychowawczynią. Uprzedziłam ją, że rozmowa jest poufna, ale uważam, że pewnie chciałaby wiedzieć, co się dzieje.

Nie miałam pojęcia, jak zareaguje, ale zachowała się wspaniale. Powiedziała, że bardzo się cieszy, iż zadzwoniłam, ponieważ w ostatnim czasie dowiaduje się o kolejnych sprawach, które określiła jako „komputerowe prześladowanie". Ma zamiar porozmawiać o tym problemie z dyrektorką i zastanowić się, co można zrobić, aby uczniowie zrozumieli, jak wielką krzywdę może wyrządzić tego rodzaju molestowanie i prześladowanie w sieci.

Pod koniec naszej rozmowy poczułam się o wiele lepiej. Zaczęłam nawet myśleć: „Kto wie? Może wyniknie z tego coś dobrego?".

JIM

Mój najstarszy syn podjął pracę na pół etatu w barze szybkiej obsługi. W ostatnią sobotę, kiedy wrócił z pracy do domu, trzasnął plecak na stół i zaczął przeklinać swojego szefa. Z jego ust popłynął potok wulgarnych słów.

Okazało się, że kiedy szef zapytał go, czy mógłby popracować kilka godzin dodatkowo w weekendy, syn odpowiedział mu:

- Być może.

Ale kiedy przyszedł do pracy w sobotę rano i miał odpowiedzieć szefowi, że bardzo chce wziąć te godziny, to okazało się, że ten „łajdak" (tu cytuję syna) przydzielił już nadgodziny komuś innemu.

Mój dzieciak miał szczęście, że trzymałem nerwy na wodzy i nie powiedziałem tego, co naprawdę chciałem powiedzieć: „I to cię dziwi? A czego się spodziewałeś? Dorośnij! Jak ktoś ma prowadzić interes z pracownikiem, który mu odpowiada, że »być może« popracuje? »Być może« to za mało".

Ale nie ochrzaniłem go. I nawet nie wspomniałem nic o przeklinaniu – nie tym razem. Powiedziałem tylko:

- Więc uważasz, że nie musiałeś mu od razu udzielać ostatecznej odpowiedzi.

Syn odparł:

- Nie, musiałem to przemyśleć!

A ja na to:

- Mhm.
- Przecież praca to nie całe życie, sam wiesz! – powiedział syn.
„To nie działa" – pomyślałem.
A wtedy ni stąd, ni zowąd on powiedział:
- Chyba się wygłupiłem. Powinienem zadzwonić do niego, kiedy wróciłem do domu, żeby nie musiał czekać.
I co wy na to? Okazałem mu odrobinę zrozumienia i sam doszedł do tego, co powinien był od razu zrobić!

LAURA

Kilka dni po naszych zajęciach poszłam z córką kupić dżinsy. Wielki błąd. Wszystko, co przymierzała, było złe. Zły fason, zły kolor lub zła naszywka producenta. W końcu wyszukała taką parę, która jej się podobała – obniżona talia, rozmiar tak dopasowany, że z trudem zapinała zamek, a uwypuklający każdy milimetr jej pupy.
Nie skomentowałem tego ani słowem.
Zostawiłam ją w przymierzalni i poszłam poszukać większego rozmiaru. Kiedy wróciłam, nadal podziwiała swoje odbicie w lustrze. Rzuciła okiem na spodnie, które jej przyniosłam, i zaczęła wykrzykiwać:
- Nie przymierzę ich! Chcesz, żebym wyglądała jak ciocia Klocia! Sama jesteś gruba i dlatego myślisz, że każdy powinien nosić duże ciuchy. Nie mam zamiaru ukrywać swojego ciała tak jak ty!
Poczułam się bardzo zraniona, wzbierała we mnie złość, niewiele brakowało, a nazwałabym ją małpą. Ale nie zrobiłam tego. Powiedziałam tylko:
- Zaczekam na ciebie na zewnątrz.

To wszystko, na co byłam w stanie się zdobyć.

– A co z moimi dżinsami? – spytała.

Powtórzyłam:

– Czekam na ciebie na zewnątrz.

I zostawiłam ją w przebieralni.

Kiedy wreszcie wyszła, ostatnią rzeczą, na jaką miałam ochotę, było „potwierdzanie jej uczuć", ale jakoś się przemogłam.

– Wiem, że podobają ci się te dżinsy – powiedziałam. – I wiem, że jesteś przygnębiona, ponieważ ja ich nie akceptuję. – Następnie opowiedziałam jej, co sama czuję. – Kiedy ktoś zwraca się do mnie w ten sposób, coś się we mnie zamyka. Nie mam już ochoty na zakupy ani na pomaganie komuś, ani nawet na rozmowę.

Żadna z nas nie odezwała się przez całą drogę do domu. Ale zanim weszłyśmy do środka, córka wymamrotała:

– Przepraszam.

Nie były to wielkie przeprosiny, ale jednak ucieszyłam się z nich. Cieszyłam się również, że nie powiedziałam niczego, za co sama musiałabym ją przepraszać.

LINDA

Nie wiem, czy moja relacja z synem poprawiła się, ale sądzę, że robię jakieś postępy w sprawie jego przyjaciół. To trzynastoletni bliźniacy, Nick i Justin, obaj bardzo bystrzy, ale nie do opanowania. Palą papierosy (a podejrzewam, że i coś więcej), robią sobie przejażdżki autostopem, a gdy kiedyś mieli szlaban, uciekli przez okno w swoim pokoju i pojechali do centrum handlowego.

Mojemu synowi pochlebia, że się nim zainteresowali, ale mnie to martwi. Jestem pewna, że syn jeździ z nimi autostopem, mimo że temu zaprzecza. Gdyby to ode mnie zależało, zabroniłabym mu spotykać się z tymi chłopakami po szkole. Ale mój mąż twierdzi, że to tylko pogorszy sprawę, bo syn i tak znajdzie sposób, żeby się z nimi spotkać, a nas będzie okłamywał.

Przez ostatni miesiąc przyjęliśmy więc strategię zapraszania bliźniaków na obiad w każdą sobotę. Sądzimy, że kiedy są w domu, mamy oko na całą trójkę i możemy ich podwieźć tam, gdzie będą chcieli. Przynajmniej tego jednego wieczoru mamy pewność, że nie stoją gdzieś na rogu z uniesionymi kciukami, czekając, aż ktoś nieznajomy weźmie ich do samochodu.

W każdym razie chcę powiedzieć tyle, że aż do tej pory nie udało nam się nawiązać rozmowy z żadnym z bliźniaków. Jednak po ostatnich zajęciach naprawdę zrobiliśmy postępy.

Bliźniacy wieszali psy na nauczycielu przedmiotów ścisłych i nazwali go głupim dupkiem. Normalnie wzięlibyśmy w obronę nauczyciela. Ale nie tym razem. Tym razem spróbowaliśmy potwierdzić uczucia chłopców wobec nauczyciela. Mój mąż powiedział:

– Widzę, że naprawdę nie lubicie tego nauczyciela.

A wtedy oni mówili dalej:

– Jest taki nudny. I ciągle na nas krzyczy bez powodu. A jak cię wyrwie do tablicy i nie znasz odpowiedzi, to miesza cię z błotem przy całej klasie.

Na to ja:

– Nick, założę się, że gdybyście obaj z Justinem byli nauczycielami, to nie krzyczelibyście na uczniów ani nie poniżali ich za to, że nie znają odpowiedzi.

Obaj odparli niemal jednocześnie:

– No pewnie.

Mój mąż dodał:

– I żaden z was nie byłby nudziarzem. Dzieciaki miałyby szczęście, gdybyście byli ich nauczycielami.

Spojrzeli na siebie i się roześmiali. Mój syn siedział z rozdziawionymi ustami. Nie mógł uwierzyć, że jego fajni koledzy prowadzą konwersację z drętwymi rodzicami.

KAREN

Wczoraj wieczorem razem ze Stacey przeglądałyśmy album ze starymi zdjęciami. Wskazałam na zdjęcie przedstawiające córkę na rowerku, kiedy miała jakieś sześć lat, i powiedziałam:
- Zobacz, jaka byłaś śliczna!
- Tak - stwierdziła - wtedy byłam.
- Co znaczy: wtedy? - zapytałam.
Stacey odparła:
- Teraz nie wyglądam tak dobrze.
- Nie bądź niemądra - odparłam. - Dobrze wyglądasz.
- Nie, wcale nie. Jestem obleśna. Mam za krótkie włosy, za małe cycki i za wielki tyłek.

Bardzo mnie boli, kiedy tak o sobie mówi. Przypomina mi to własną niepewność, kiedy byłam w jej wieku. Moja matka zawsze spieszyła z radami, w jaki sposób powinnam coś ulepszyć: „Nie garb się... Wyprostuj ramiona... Zrób coś z włosami... Zrób sobie lekki makijaż. Wyglądasz jak półtora nieszczęścia!".

Kiedy wczoraj Stacey zaczęła analizować swój wygląd, w pierwszym odruchu chciałam ją pocieszyć: „Twoja pupa jest zupełnie w porządku, włosy urosną, piersi też. A jeśli nie, to zawsze możesz nosić stanik z wkładkami".

Właśnie w taki sposób zawsze do niej mówiłam. Ale tym razem pomyślałam: „Okay, powiem o jej uczuciach". Objęłam ją i powiedziałam:

– Zdaje się, że nie jesteś zadowolona ze swojego wyglądu... Wiesz, co bym chciała? Kiedy znowu staniesz przed lustrem, chciałabym, żebyś mogła zobaczyć to, co ja widzę.

Wzbudziłam jej zainteresowanie.

– A co widzisz?

Powiedziałam jej prawdę.

– Widzę dziewczynę, która jest piękna – i w środku, i na zewnątrz.

– Och, przecież jesteś moją matką. – I wyszła z pokoju.

Chwilę później zobaczyłam, że robi pozy przed dużym lustrem na korytarzu. Trzymała ręce na biodrach i naprawdę uśmiechała się do swojego odbicia.

MICHAEL

Pamiętacie, jak wspominałem o negatywnym stosunku mojego syna do szkoły? Dzień po naszych zajęciach zszedł rano na śniadanie w złym nastroju, jak zwykle. Kręcił się po kuchni i narzekał, że żyje w wiecznym stresie. Czekały go dwa poważne testy – z hiszpańskiego i z geometrii – w dodatku jednego dnia.

Już miałem powiedzieć to, co zawsze mówię w takiej sytuacji: „Gdybyś pracował i uczył się tak, jak należy, to nie musiałbyś się martwić sprawdzianami".

Jednak żona szturchnęła mnie i rzuciła wymowne spojrzenie, więc przypomniałem sobie o fantazjowaniu. Powiedziałem:

– Czy nie byłoby wspaniale, gdyby nagle podali w radiu komunikat: „Dzisiaj śnieżyca! Nadciąga silna burza. Wszystkie szkoły zamknięte."?

To go zaskoczyło. Nawet się uśmiechnął. Kułem więc żelazo dalej:

- Wiesz co? Najlepiej by było, gdyby każdego dnia, kiedy przypada sprawdzian, nadciągała śnieżyca.
Roześmiał się półgębkiem i odparł:
- Tak... Chciałbym!
Kiedy wychodził do szkoły, był już w lepszym humorze.

STEVEN

Ponad rok temu ożeniłem się po raz drugi, a Amy, moja czternastoletnia córka, od pierwszego dnia znielubiła moją nową żonę. Za każdym razem, kiedy zabieram Amy z domu jej matki na wspólny weekend ze mną i z Carol, powtarza się ta sama historia. Gdy tylko wsiądzie do samochodu, zaczyna krytykować Carol.

I bez względu na to, co mówię córce, nie mogę do niej dotrzeć. Podkreślam, że bardzo niesprawiedliwie ocenia Carol, że nie daje jej szansy, że Carol bardzo się stara, aby się z nią zaprzyjaźnić. Ale im więcej mówię, tym bardziej ona próbuje udowodnić, że nie mam racji.

Dobrze, że w zeszłym tygodniu byłem na zajęciach, bo w ostatnią sobotę Amy znowu zaczęła swoją śpiewkę:

- Nie cierpię być u ciebie. Carol ciągle się kręci w pobliżu. Musiałeś się z nią żenić?

Nie mogłem stawić temu czoła i jednocześnie prowadzić, więc zaparkowałem samochód i zgasiłem silnik. Myślałem tylko: „Nie denerwuj się. Nie sprzeczaj się z nią. Nie próbuj nawet z nią dyskutować. Tym razem tylko słuchaj. Pozwól jej wszystko z siebie wyrzucić". Powiedziałem więc:

- No dobrze, Amy, widzę, że dręczą cię różne uczucia. Czy jest coś jeszcze?

- Nie chcesz słuchać, co mam do powiedzenia. Nigdy nie słuchasz - odparła.

– Teraz słucham. Ponieważ słyszę, że jesteś bardzo rozgniewana i nieszczęśliwa.

No i się zaczęło. Popłynął potok narzekań.

– Ona nie jest taka słodka, jak myślisz... Ona tylko tak się zgrywa... Tylko ty ją obchodzisz... Ona tylko udaje, że mnie lubi.

Ani razu nie wziąłem Carol w obronę i nie próbowałem przekonywać Amy, że nie ma racji. Powtarzałem tylko „och", „mhm" i słuchałem.

W końcu westchnęła i powiedziała:

– Eee tam, jaki to ma sens?

– To ma sens – odpowiedziałem. – Muszę wiedzieć, co czujesz, bo to dla mnie ważne.

Spojrzała na mnie i zauważyłem, że ma łzy w oczach.

– Wiesz co? – dodałem. – Musimy się postarać, żeby spędzać w weekendy więcej czasu we dwoje, tylko ty i ja.

– A co z Carol? – zapytała. – Nie będzie zła?

– Carol zrozumie – odrzekłem.

Później wzięliśmy psa i poszliśmy z Amy na długi spacer do parku. Nie mogę oczywiście udowodnić żadnego związku, ale ten weekend był dla Carol, Amy i dla mnie najlepszym weekendem, jaki razem spędziliśmy.

Szybkie przypomnienie...

Potwierdź uczucia nastoletniego dziecka

NASTOLATKA: O nie! Co ja zrobię? Powiedziałam Gordonom, że popilnuję ich dziecka w sobotę, a teraz zadzwoniła Lisa i zaprosiła mnie do siebie na nocleg!

RODZICE: Powiem ci, co powinnaś zrobić...

Zamiast lekceważyć uczucia dziecka i udzielać rady:

POMÓŻ ZEBRAĆ MYŚLI I NAZWIJ UCZUCIA.
„Wygląda na to, że ciągnie cię w dwie strony... Chcesz pójść do Lisy, ale nie chcesz też sprawić zawodu Gordonom".

POTWIERDŹ UCZUCIA SŁOWEM LUB MRUKNIĘCIEM.
„Ojej!"

DAJ W WYOBRAŹNI TO, CZEGO NIE MOŻESZ DAĆ W RZECZYWISTOŚCI.
„Ale byłoby wspaniale, gdybyś mogła się sklonować! Jedna mogłaby opiekować się dzieckiem, a druga pójść na nocleg do koleżanki".

ZAAKCEPTUJ UCZUCIA, ALE UKIERUNKUJ POSTĘPOWANIE.
„Słyszę, że o wiele bardziej wolałabyś pójść do Lisy. Problem w tym, że dałaś słowo Gordonom. Liczą na ciebie".

2 Ciągle jeszcze pilnujemy

Z radością zaczynałam następne spotkanie. Pod koniec ostatnich zajęć Jim poprosił mnie na bok i powiedział, jak bardzo frustruje go, że nie jest w stanie nakłonić swoich nastoletnich dzieci, aby zrobiły to, czego chce, wtedy kiedy chce. Przyznałam, że to istotnie trudne, i powiedziałam mu, że jeśli wytrzyma jeszcze tydzień, to omówimy ten temat bardzo dokładnie.

Kiedy wszyscy zajęli miejsca, napisałam na tablicy temat zajęć:

METODY NAKŁANIAJĄCE DO WSPÓŁPRACY

– Zacznijmy od samego początku – powiedziałam. – Kiedy nasze dzieci były małe, większość czasu poświęcaliśmy na pilnowanie. Pilnowaliśmy, czy umyły ręce, wyszczotkowały zęby, zjadły warzywa, poszły do łóżka o właściwej porze, czy pamiętają o tym, aby mówić proszę i dziękuję.

Pilnowaliśmy również, aby nie robiły pewnych rzeczy. Pilnowaliśmy, aby nie wybiegały na ulicę, nie wdrapywały się na stół, nie rzucały piaskiem, nie biły, nie pluły i nie gryzły.

Spodziewaliśmy się, że kiedy wejdą w wiek dojrzewania, opanują już większość tego materiału. Ale ku naszemu rozczarowaniu i poirytowaniu, ciągle jeszcze musimy zajmować się pilnowaniem. Oczywiście, nasze nastolatki już nie gryzą ani nie wdrapują się na stół, ale większości z nich nadal trzeba przypominać, aby odrobiły lekcje, wywiązywały się z obowiązków, dobrze się odżywiały, regularnie kąpały, nie chodziły zbyt późno spać i wstawały o właściwej porze. Nadal też pilnujemy, aby pewnych rzeczy nie robiły. „Nie wycieraj twarzy w rękaw", „Nie rzucaj ubrań na podłogę", „Nie blokuj telefonu", „Nie mów do mnie takim tonem!".

W każdym domu jest inaczej. Każdy z rodziców jest inny. Każdy nastolatek jest inny. O jakich rzeczach w ciągu całego dnia musicie przypominać swoim nastoletnim dzieciom, czego pilnować? Zacznijmy od rana.

Rodzice bez chwili wahania zaczęli mówić:

„Pilnuję, aby z powrotem nie zasnął, kiedy budzik przestanie dzwonić".

„Aby zjadł śniadanie".

„Aby nie nosił tych samych rzeczy przez trzy dni z rzędu".

„Aby nie przesiadywała godzinami w łazience, bo nikt inny nie może wejść".

„Aby znowu nie uciekł mu autobus i aby nie spóźnił się na pierwszą lekcję".

„Aby nie wszczynał kłótni z siostrą".

„Aby nie zapomniał zabrać kluczy i pieniędzy na drugie śniadanie".

– A jak to wygląda po południu? – zapytałam. – Co znajduje się na liście spraw, których musicie dopilnować?

„Zadzwoń do mnie do pracy, jak tylko wrócisz do domu".

„Wyprowadź psa".

„Zacznij odrabiać lekcje".

„Nie jedz byle czego".

„Nie sprowadzaj żadnych przyjaciół przeciwnej płci, kiedy nie ma mnie w domu".

„Pamiętaj, żeby poćwiczyć grę na pianinie (skrzypcach, saksofonie)".

„Kiedy wychodzisz z domu, mów mi, dokąd idziesz".

„Nie dokuczaj siostrze".

– Przejdźmy do wieczoru – powiedziałam. – Jakie o tej porze macie polecenia i przypomnienia?

Rodzice zastanawiali się przez chwilę, po czym...

„Nie zaszywaj się w swoim pokoju. Posiedź trochę z rodziną".

„Nie stukaj palcami po stole".

„Nie garb się na krześle".

„Nie gadaj cały wieczór przez telefon. Dokończ zadanie domowe".

„Nie przesiaduj cały wieczór w internecie. Dokończ zadanie domowe".

„Chociaż raz powiedz »dobrze«, kiedy cię o coś proszę".

„Chociaż raz odpowiedz mi, kiedy pytam, co się stało".

„Nie zużyj całej ciepłej wody, kiedy będziesz brać prysznic".

„Pamiętaj, żeby nałożyć aparat na zęby, zanim pójdziesz spać".

„Nie siedź do późna. Rano będziesz zmęczony".

– Jestem zmęczona od samego słuchania tej listy – skomentowała Laura. – Nic dziwnego, że pod koniec dnia czuję się taka wyczerpana.

– I nie ma chwili wytchnienia – dodała kobieta o imieniu Gail.

– Cały czas pilnuję swoich chłopców: poganiam, popędzam, żeby zrobili to czy tamto. A od czasu mojego rozwodu jest jeszcze gorzej. Czasami czuję się jak musztrujący sierżant.

– Ja to widzę inaczej – powiedział Michael. – Myślę, że jesteś odpowiedzialną matką. Wykonujesz swoje zadanie, robisz to, co należy do rodziców.

– Więc dlaczego – zapytała Gail ze smutkiem – moje dzieci nie robią tego, co do nich należy?

– Moja córka uważa, że tym, co do niej należy – wyjaśniła Laura – jest dawanie matce w kość. Kłóci się ze mną o każdy najmniejszy drobiazg. Mówię na przykład: „Przynieś, proszę, brudne naczynia ze swojego pokoju", a ona na to: „Przestań mnie wkurzać. Ciągle się mnie czepiasz".

Przez klasę przebiegł szmer zrozumienia.

– Jak widać – włączyłam się – w wypadku nastolatków nawet najprostsza, najbardziej zwyczajna prośba może wywołać małą kłótnię albo wielką awanturę. Aby lepiej zrozumieć punkt widzenia naszych dzieci, postawmy się na chwilę w ich sytuacji. Zobaczmy, jak zareagujemy na typowe metody, które stosujemy wobec nastolatków, aby ich nakłonić do zrobienia tego, co chcemy. Umówmy się, że ja odegram waszą matkę. Gdy będziecie mnie słuchać waszym „dorosłym uchem", podajcie, proszę, pierwszą, nieocenzurowaną i emocjonalną odpowiedź.

Przedstawiam dalej różne podejścia, które zastosowałam, oraz reakcje „moich dzieci".

Obwinianie i oskarżanie. „Znowu to samo! Nalałeś oliwy na patelnię, podkręciłeś największy płomień i wyszedłeś z kuchni. Co jest z tobą? Mogłeś wywołać pożar".

„Przestań na mnie krzyczeć".
„Wyszedłem tylko na chwilę".
„Musiałem pójść do łazienki".

Przeżywanie. „Jak mogłeś zapomnieć o zapięciu na kłódkę nowego roweru? To było bardzo głupie. Nic dziwnego, że go ukradli. Nie do wiary, że jesteś taki nieodpowiedzialny!"

„Jestem głupi".
„Jestem nieodpowiedzialny".
„Nic nie potrafię zrobić dobrze".

Groźby. „Jeśli ty uważasz, że wywiązywanie się z obowiązków nie jest taką ważną sprawą, to ja uważam, że płacenie ci kieszonkowego też nie jest taką ważną sprawą".

„Suka".
„Nienawidzę cię".
„Będę szczęśliwa, kiedy wyprowadzę się z tego domu".

Rozkazy. „Chcę, żebyś wyłączyła telewizor i zabrała się do lekcji. Przestań zwlekać. Do roboty!"

„Nie chcę ich teraz robić".
„Przestań mnie wkurzać".
„Zrobię lekcje, kiedy będę chciała".

Kazania i morały. „Musimy o czymś porozmawiać. Chodzi o twoje bekanie przy stole. Może tobie wydaje się to dowcipne, ale tak naprawdę, to źle świadczy o twoich manierach. I czy nam się to podoba, czy nie, ludzie oceniają nas na podstawie naszych manier. Więc jeśli musisz beknąć, to chociaż przykryj usta serwetką i powiedz: Przepraszam".

„Co powiedziałaś? Wyłączyłem się".
„Chce mi się beknąć".

„To takie płytkie. Może maniery są ważne dla ciebie, ale dla mnie nic nie znaczą".

Ostrzeżenia. „Ostrzegam cię. Jeśli zaczniesz się zadawać z tą paczką, to naprawdę narobisz sobie kłopotów".

„Nie wiesz wszystkiego o moich kolegach".
„A co takiego wspaniałego jest w twoich znajomych?"
„Nie obchodzi mnie, co mówisz. Wiem, co robię".

Męczeństwo. „Proszę cię, żebyś zrobiła dla mnie jedną drobną rzecz, i nawet to jest dla ciebie za dużo. Nie rozumiem tego. Tak ciężko pracuję, żeby niczego ci nie brakowało, a ty mi tak dziękujesz".

„No dobra. Jestem paskudnym dzieciakiem".
„To twoja wina, że taka jestem. Rozpieściłaś mnie".
„Mam poczucie winy".

Porównywanie. „Nic dziwnego, że wszystkie telefony są do twojej siostry. Może gdybyś starał się być bardziej sympatyczny i miły w obejściu, tak jak ona, to też byłbyś lubiany".

„Ona się zgrywa".
„Nienawidzę mojej siostry".
„Zawsze lubiłaś ją bardziej ode mnie".

Sarkazm. „Więc prosto z treningu koszykówki masz zamiar iść na zabawę i nie wziąć prysznicu. No tak, będziesz wspaniale pachniał. Dziewczyny ustawią się w kolejce, żeby znaleźć się blisko ciebie".

„Ha, ha, myślisz, że jesteś taka dowcipna".
„Sama nie pachniesz najlepiej".
„Nie możesz powiedzieć prosto z mostu, o co ci chodzi?"

Wieszczenie. „Potrafisz tylko zrzucać winę za swoje problemy na innych ludzi. Nigdy nie poczuwasz się do odpowiedzialności. Gwarantuję ci, że jeśli dalej tak będzie, to twoje problemy staną się jeszcze większe i będziesz mógł obwiniać tylko siebie".

„Chyba jestem nieudacznikiem".
„Jestem beznadziejny".
„Jestem przegrany".

– Dosyć! Mam napad poczucia winy! – zawołała Laura. – W podobny sposób przemawiam do córki. Ale teraz, kiedy słucham tego z pozycji dziecka, nienawidzę tych słów! Nabrałam przez nie bardzo złej opinii o sobie.

Jim wydawał się przygnębiony.

– O czym pan myśli? – zapytałam go.

– Myślę, że to wszystko, co pani przedstawiła, brzmi znajomo, i to mnie boli. Jak wspomniałem w zeszłym tygodniu, mój ojciec poniżał mnie przy każdej okazji. Staram się inaczej postępować ze swoimi dziećmi, ale czasami słyszę, jak z moich ust płyną jego słowa.

– Wiem! Czasami czuję się tak, jakbym zamieniała się we własną matkę – dodała Karen. – A przyrzekałam sobie, że nigdy nie będę taka jak ona.

– No dobrze. To wiemy już, czego nie mówić! – zawołała Gail. – Kiedy dojdziemy do tego, co należy powiedzieć?

– Za chwilę – odparłam, podnosząc do góry ilustracje, które przygotowałam. – Ale zanim to rozdam, proszę, abyście pamiętali, że żadna z tych metod porozumiewania się, które za chwilę zobaczycie, nie sprawdza się przez cały czas. Nie ma czarodziejskich słów, które można zastosować w każdej sytuacji wobec każdego nastolatka. Dlatego tak ważne jest, aby zaznajomić się z rozmaitymi metodami. Jednak kiedy przejrzycie te rysunki, zauważycie, że podstawową zasadą, która ma zastosowanie we wszystkich przykładach, jest szacunek. To nasza postawa pełna szacunku i język pełen szacunku pozwala nastolatkom usłyszeć, co mówimy, i współpracować.

Kiedy rodzice przerzucali kartki i studiowali rysunki, po sali krążyły komentarze:

– To się nadaje nie tylko dla nastolatków. Nie miałabym nic przeciwko temu, żeby mój mąż tak do mnie mówił.

– Do ciebie?

– Tak, do mnie. Chodzi o to, że to prawdopodobnie pomogłoby wielu małżeństwom.

– Założę się, że niektórzy ludzie popatrzyliby na te przykłady i powiedzieli: „Nie ma w tym nic nowego. To po prostu zdrowy rozsądek".

– Ale to nie tylko zdrowy rozsądek. Gdyby tak było, nie przyszlibyśmy tu dzisiaj.

– Nigdy tego wszystkiego nie spamiętam. Przykleję te rysunki na wewnętrznej stronie drzwi do szafy.

Ojciec, który dołączył do nas na drugich zajęciach i który dotąd nie zabierał głosu, podniósł teraz rękę.

– Cześć, jestem Tony, i wiem, że powinienem siedzieć cicho, bo nie byłem na poprzednich zajęciach. Ale moim zdaniem te przykłady pokazują tylko, jak sobie radzić z normalnymi, codziennymi drobiazgami – takimi jak brudny plecak, podarta bluzka, złe maniery przy stole. Przyszedłem tu dzisiaj, bo sądziłem, że dowiem się, jak sobie poradzić z tym, co robią nastolatki,

a co jest wieczną zgryzotą dla rodziców – z paleniem, piciem alkoholu, uprawianiem seksu, braniem narkotyków.
– To są dzisiaj nasze największe zmartwienia – zgodziłam się. – Ale od tego, w jaki sposób poradzimy sobie z tymi normalnymi, codziennymi drobiazgami, zależy też nasze postępowanie w wypadku „dużych spraw". To, jak sobie poradzimy z brudnym plecakiem, podartą bluzką czy złymi manierami przy stole, może albo poprawić, albo pogorszyć nasze kontakty z dzieckiem. To, w jaki sposób zareagujemy na wzloty i upadki naszych dzieci, może spowodować, że oddalą się od nas albo do nas zbliżą. Nasza reakcja na to, co zrobiły bądź czego nie zrobiły, może albo wywołać żal, albo pobudzić zaufanie i wzmocnić ich więź z nami. A czasami jedynie ta więź gwarantuje naszym nastoletnim dzieciom bezpieczeństwo. Kiedy staną przed pokusami, wejdą w konflikty, poczują się zagubione, będą wiedziały, kto może wskazać kierunek. Kiedy będą ich kusić szkodliwe przekazy popkultury, to usłyszą także inny głos w swojej głowie – wasz głos – przypominający o waszych wartościach, waszej miłości i waszej wierze we własne dzieci.

Po długim milczeniu odezwał się Tony:
– Czy to koniec spotkania?
Zerknęłam na zegarek.
– Prawie – odparłam.
– To dobrze – powiedział, wymachując swoimi kartkami. – Bo zamierzam wypróbować niektóre rzeczy jeszcze dziś wieczorem i chcę wrócić do domu, zanim dzieci pójdą spać.

ZAMIAST WYDAWAĆ ROZKAZY,

Rozkazy często wywołują poczucie żalu i opór.

OPISZ PROBLEM.

Opisując problem, zapraszamy nastolatki do wzięcia udziału
w jego rozwiązywaniu.

ZAMIAST ATAKOWAĆ NASTOLATKA,

Kiedy ogarnia nas złość, czasem krzyczymy na nasze dzieci lub poniżamy je. Rezultat? Albo zamykają się w sobie, albo przechodzą do kontrataku.

OPISZ, CO CZUJESZ.

Kiedy opisujemy, co czujemy, dzieciom łatwiej jest nas wysłuchać
i zareagować w pomocny sposób.

Kiedy rzucamy oskarżenia, nastolatki zwykle
zaczynają się bronić.

UDZIEL INFORMACJI.

Udzielając dzieciom informacji w prosty i pełen szacunku sposób,
zwiększasz prawdopodobieństwo, że wezmą na siebie odpowiedzialność
za to, co trzeba zrobić.

ZAMIAST GROZIĆ I ROZKAZYWAĆ,

Wielu nastolatków reaguje na groźby
przekorą lub ponurą uległością.

ZAPROPONUJ WYBÓR.

Mamy większą szansę na nakłonienie ich do współpracy, jeśli zaproponujemy wybór, który odpowiada naszym oraz ich potrzebom.

ZAMIAST DŁUGICH KAZAŃ,

Nastolatki wyłączają się, słysząc długie kazanie.

POWIEDZ TO JEDNYM SŁOWEM.

Krótkie przypomnienie przykuwa uwagę i pozwala łatwiej
nakłonić dziecko do współpracy.

ZAMIAST WYTYKAĆ TO, CO JEST ZŁE,

Nastolatki wyłączają się, słysząc krytyczne uwagi.

OKREŚL SWOJE WARTOŚCI I/LUB OCZEKIWANIA.

Kiedy rodzice mówią, czego oczekują, w sposób jednoznaczny
i pełen szacunku, istnieje większa szansa, że nastolatki ich wysłuchają
i postarają się sprostać tym oczekiwaniom.

Nastolatki bywają szczególnie wrażliwe na dezaprobatę rodziców.

RÓB ZASKAKUJĄCE RZECZY.

Zastępując krytykę humorem, zmieniamy nastrój i zachęcamy
wszystkich do udziału w zabawie.

ZAMIAST ZRZĘDZIĆ,

Niektóre nastolatki nie reagują na rozsądne przypomnienie.

WYRAŹ TO NA PIŚMIE.

Słowo pisane często może załatwić to, czego nie załatwi mówienie.

RELACJE

W przedstawionych dalej relacjach rodziców zobaczycie, w jaki sposób zastosowali oni nowe umiejętności samodzielnie lub ze współmałżonkiem, a czasami w sytuacjach, które wykraczały poza normalne, codzienne drobiazgi.

Gail

Te ostatnie zajęcia były dla mnie jakby na zamówienie. Od niedawna jestem rozwiedziona, właśnie zaczęłam pracować na cały etat i rozpaczliwie potrzebuję teraz współpracy ze strony dzieci. Moi dwaj synowie mają po kilkanaście lat, ale nigdy nie garnęli się specjalnie do pomocy – wiem, że to moja wina, ponieważ nie cierpię zrzędzić, więc zawsze kończy się tak, że wszystko robię sama.

W sobotę rano porozmawiałam z nimi spokojnie i wytłumaczyłam, że absolutnie nie jestem w stanie podołać nowej pracy i jeszcze robić to wszystko, co robiłam do tej pory. Powiedziałam, że potrzebuję ich pomocy i że musimy zabrać się razem do roboty jako rodzina. Potem wyliczyłam wszystkie domowe zajęcia, które są do zrobienia, i poprosiłam każdego z nich, żeby wybrał trzy zadania, za które chce być odpowiedzialny. Tylko trzy. Pod koniec każdego tygodnia mogą nawet zamieniać się obowiązkami.

Pierwsza reakcja była typowa. Głośne narzekanie na to, ile pracy mają w szkole i że nigdy nie mają na nic czasu. W końcu jednak każdy z nich wybrał z mojej listy trzy zadania. Przyczepiłam listę do lodówki i dodałam, jak wielką ulgę sprawia mi świadomość, że kiedy wrócę z pracy do domu, pranie będzie zrobione, naczynia wyładowane ze zmywarki, a stół uprzątnięty i nakryty do obiadu.

No cóż, nie wygląda to dokładnie tak, jak opisałam. Ale od czasu do czasu wywiązują się z niektórych obowiązków. A jeśli tego nie robią, wskazuję tylko na listę i zabierają się do pracy. Gdybym to wiedziała parę lat temu...

LAURA

Moja córka wynalazła nowy sposób, by dać mi do zrozumienia, że zrobiłam coś, co jej się nie podoba. Funduje mi ciche dni. Jeśli śmiem zapytać, co się stało, wzrusza ramionami i gapi się w sufit, co doprowadza mnie do szału.

Ale po spotkaniu w zeszłym tygodniu byłam cała naładowana – zdecydowanie chciałam wypróbować coś nowego. Kiedy wróciłam, siedziała przy stole w kuchni i zajadała kanapkę. Przysunęłam sobie krzesło i powiedziałam:

– Kelly, nie podoba mi się to, co się dzieje między nami.

Założyła ręce i odwróciła wzrok. To mnie nie powstrzymało. Powiedziałam:

– Robię coś, co cię wkurza. Przestajesz się do mnie odzywać, co z kolei mnie wkurza. Kończy się to tym, że na ciebie krzyczę, co wkurza cię jeszcze bardziej. Doszłam więc do wniosku, Kelly, że musisz mi mówić prosto z mostu, co cię denerwuje.

Wzruszyła ramionami i znowu odwróciła wzrok. Nie miała zamiaru niczego mi ułatwiać.

– A jeśli to za trudne – dodałam – to przynajmniej daj mi jakiś sygnał, jakiś znak. Nieważne, co to będzie. Zastukaj w stół, pomachaj rolką ręczników papierowych, połóż sobie na głowę kawałek papieru toaletowego. Co ci przyjdzie do głowy.

– Och, mamo, nie wygłupiaj się – odparła i wyszła z pokoju.

Pomyślałam, że rzeczywiście się wygłupiam, ale kilka minut później weszła z powrotem do kuchni z rozbawionym wyrazem twarzy, a na włosach miała coś białego. Powiedziałam:

– Co ty masz na... ach tak... papier toaletowy.

Obie zaczęłyśmy się śmiać. I po raz pierwszy od bardzo dawna rozmawiałyśmy ze sobą.

JOAN

Wczoraj wieczorem moja piętnastoletnia córka oznajmiła, że chce sobie przekłuć nozdrza i włożyć kolczyk.

Wpadłam we wściekłość. Zaczęłam na nią krzyczeć:

– Postradałaś rozum? Bóg dał ci piękny nos! Dlaczego chcesz robić w nim dziurę? Dlaczego chcesz się okaleczyć? To najgłupszy pomysł, o jakim słyszałam!

Potem ona zaczęła krzyczeć na mnie:

– Chcę tylko mieć maleńki kolczyk w nosie! Powinnaś zobaczyć, co inni noszą. Kim ma wkręcany kolczyk na języku, Briana ma kolczyk na brwi, a Ashley ma nawet nad pępkiem!

– One też są głupie – oznajmiłam.

– Nie da się z tobą rozmawiać. Nic nie rozumiesz! – krzyknęła i wypadła z pokoju.

Stałam i myślałam: „I to ma być matka, która chodzi na zajęcia o porozumiewaniu się. Cudownie!". Nie miałam jednak zamiaru się poddawać. Musiałam po prostu znaleźć lepszy sposób, żeby do niej dotrzeć.

Poszperałam więc w Internecie, żeby sprawdzić, co można tam znaleźć o przekłuwaniu ciała. Okazało się, że w wypadku osób poniżej osiemnastego roku życia przekłuwanie ciała, wykonywanie piętna oraz tatuaży jest w moim hrabstwie dozwolone tylko za pisemną, notarialnie potwierdzoną zgodą jednego z rodziców lub opiekuna. Jedyny wyjątek dotyczył przekłuwania uszu. Znalazłam też obszerny materiał o wszelkich chorobach, których można się nabawić z powodu brudnych narzędzi czy niehigienicznych warunków – opryszczka, tężec, infekcje wirusowe, czyraki...

Kiedy córka wyszła w końcu ze swojego pokoju, powiedziałam, że bardzo ją przepraszam za to, co powiedziałam o niej i jej koleżankach, ale znalazłam w Internecie informacje, z którymi moim zdaniem powinna się zapoznać. Wskazałam na ekran.

Spojrzała i powiedziała:

– Żadna z osób, które znam, nie zachorowała. Chcę zaryzykować.

– Problem w tym, że ja nie chcę zaryzykować. Twoje zdrowie jest dla mnie bardzo ważne.

– W porządku – odparła. – Pójdę więc do normalnego lekarza i poproszę go, żeby to zrobił. Ty musisz tylko dać mi pozwolenie na piśmie.

– Nie mogę się na to zgodzić – oznajmiłam. – Nadal mam te same zastrzeżenia. Poza tym znam siebie. Nie zniosłabym widoku córki paradującej po domu z kolczykiem wiszącym w nosie. A nie chcę się smucić za każdym razem, kiedy na ciebie spojrzę. Kiedy skończysz osiemnaście lat, a to nadal będzie dla ciebie ważne, możesz sama zadecydować, czy chcesz to zrobić, czy nie.

Oczywiście, nie była zachwycona moją decyzją, ale zdaje się, że ją zaakceptowała. Przynajmniej na razie.

TONY

Mój czternastolatek Paul chodzi po domu, jakby przebywał w innym wymiarze. Kiedy proszę go, żeby coś zrobił, odpowiada:

– Jasne, tato. – I na tym się kończy. Jednym uchem wpada, a drugim wypada.

W ostatni weekend zrobiłem więc coś nieoczekiwanego. Dwukrotnie.

Pierwszy raz powiedziałem głośno, naśladując głos hrabiego Drakuli:

– Chcę, żebyś wyniósł śmieci.

Spojrzał na mnie i zamrugał.

– I nie każ mi czekać – dodałem. – Bo będę zły.

Roześmiał się i odparł takim samym głosem:

– No to lepiej to zrobię.

Za drugim razem zauważyłem na podłodze w jego pokoju miseczkę z resztkami płatków śniadaniowych. Wskazałem na to i spytałem normalnym głosem:

– Paul, wiesz, co to jest?

– Taak... Miska – odparł.

– O nie. To zaproszenie na przyjęcie.

– Co?

– Zaproszenie dla wszystkich karaluchów z sąsiedztwa na przyjęcie do pokoju Paula.

Wyszczerzył zęby.

– Okay, tato, dotarło do mnie.

I naprawdę zabrał miskę z podłogi, a potem odniósł do kuchni.

Wiem, że „zabawa" nie zawsze działa. Ale cieszę się, że czasem tak.

MICHAEL

Moja córka zaszokowała mnie w tym tygodniu pewnym pomysłem. Powiedziała:
- Tatusiu, chciałabym cię o coś zapytać, ale nie chcę, żebyś od razu panikował i mówił nie. Tylko mnie wysłuchaj.
- Słucham - odparłem.
- Na imprezie z okazji moich szesnastych urodzin chciałabym podać wino. Zanim się zdenerwujesz, muszę ci powiedzieć, że dużo moich koleżanek i kolegów podaje wino na swoich przyjęciach urodzinowych. Dzięki temu ten wieczór jest specjalny.

Widocznie miałem dezaprobatę wypisaną na twarzy, ponieważ zaostrzyła kampanię:
- No dobrze, może nie wino, ale jeśli nie będę mogła podać nawet piwa, nikt nie będzie chciał przyjść. Tak naprawdę to nawet nie muszę go sama kupować, ale gdyby moi przyjaciele przynieśli piwo, to nic by się nie stało. No, tato. To nic takiego. Nikt się nie upije. Obiecuję. Po prostu chcemy się dobrze bawić.

Już miałem wypowiedzieć zdecydowane „nie", ale zamiast tego oświadczyłem:
- Jenny, widzę, że to jest dla ciebie ważne. Muszę to przemyśleć.

Kiedy powiedziałem żonie, o co prosiła Jenny, zajrzała zaraz do notatek z ostatnich zajęć i wskazała punkt „wyraź to na piśmie". Powiedziała:
- Jeśli to napiszesz, przeczyta. Jeśli to powiesz, będzie się z tobą kłóciła.

Napisałem więc taki list:

Kochana Jenny,
mama i ja rozważyliśmy Twoją prośbę, by podać wino na
Twoim przyjęciu urodzinowym. Nie możemy powiedzieć „tak"
z następujących powodów:

1. *W naszym stanie podawanie alkoholu osobom poniżej*
   21 roku życia jest zabronione.
2. *Gdybyśmy zlekceważyli prawo, a któryś Twój gość miałby*
   wypadek samochodowy w drodze do domu, to wtedy
   my, jako Twoi rodzice, bylibyśmy odpowiedzialni przed
   prawem. A co ważniejsze, czulibyśmy się moralnie od-
   powiedzialni.
3. *Gdybyśmy z kolei przymknęli oko i pozwolili Twoim*
   gościom przynieść własne piwo, to byłoby tak, jakbyśmy
   powiedzieli: „To nic takiego, dzieci, że łamiecie prawo,
   dopóki my, rodzice, udajemy, że nie wiemy, co się dzieje".
   To byłoby nieuczciwe i obłudne.

Twoje szesnaste urodziny to kamień milowy. Porozmawiaj-
my o tym, jak możemy uświetnić tę okazję w sposób, który
będzie bezpieczny, zgodny z prawem i dostarczy wszystkim
dobrej zabawy.

Kochający Tata

Wsunąłem list pod drzwi jej pokoju. Nigdy o nim nie wspomniała, ale jeszcze tego samego dnia, po kilku rozmowach
telefonicznych z przyjaciółmi, przyszła do nas z kilkoma pro-
pozycjami, które „mogłyby zrekompensować to, że nie będzie
»prawdziwych« drinków" – parodysta Elvisa, przyjęcie karaoke
albo ktoś, kto stawia horoskopy.

Wszystko jest nadal w fazie dyskusji. Ale jedno wiemy z żoną na pewno – cokolwiek postanowi, tej nocy mamy zamiar kręcić się w pobliżu. Słyszeliśmy, że czasami goście wychodzą z przyjęcia, wypijają kilka drinków ukrytych w samochodzie i wracają uśmiechnięci, z minami niewiniątek. Słyszeliśmy również o dzieciakach, które przychodzą na imprezę z własną wodą w butelce, tylko że ta „woda" to w rzeczywistości wódka albo dżin. O nie, nie będziemy się narzucać. Postaramy się zachowywać dyskretnie. Ale będziemy mieć oczy szeroko otwarte.

LINDA

Pamiętacie, jak powiedziałam, że przykleję rysunki na wewnętrznej stronie drzwi mojej szafy? Tak właśnie zrobiłam. I to była wielka pomoc. Gdy tylko miałam ochotę krzyknąć w tym tygodniu na dzieci, powstrzymywałam się, szłam do sypialni, otwierałam szafę, patrzyłam na rysunki i mimo że moja sytuacja była inna, przychodził mi do głowy lepszy sposób na poradzenie sobie z nią.

W ostatni piątek mój syn był spóźniony do szkoły, co oznaczało, że ja spóźnię się do pracy. I straciłam panowanie:

– Masz trzynaście lat i żadnego poczucia czasu. Dlaczego ciągle mi to robisz? Kupiłam ci nowy zegarek. Czy go nosisz? Nie. I nie waż się odchodzić, kiedy do ciebie mówię!

Zatrzymał się, popatrzył na mnie i powiedział:

– Mamo, idź przeczytać to, co masz na drzwiach!

Szybkie przypomnienie...

Aby zachęcić nastolatka do współpracy

Zamiast rozkazywać („Ścisz tę muzykę! I to zaraz!!!")
można:

OPISAĆ PROBLEM. „Nie mogę myśleć ani rozmawiać, kiedy
ryczy muzyka".

OPISAĆ, CO CZUJESZ. „Uszy mnie bolą od tego hałasu".

UDZIELIĆ INFORMACJI. „Częste narażanie na głośne
dźwięki może uszkodzić słuch".

ZAPROPONOWAĆ WYBÓR. „Co wolisz zrobić: wyłączyć
muzykę czy przyciszyć tylko trochę i zamknąć drzwi?"

POWIEDZIEĆ KRÓTKO. „Za głośno!"

OKREŚLIĆ SWOJE WARTOŚCI I/LUB OCZEKIWANIA.
„Wszyscy musimy się dostosować do tego, jaką tolerancję
wobec głośnej muzyki mają inne osoby".

ZROBIĆ COŚ NIEOCZEKIWANEGO. Zakryj uszy dłońmi,
wykonaj gest ściszania dźwięku, złóż dłonie i wykonaj gest
wdzięczności.

WYRAZIĆ TO NA PIŚMIE. Taka głośna muzyka jest dobra
na koncercie, ale gdy jesteśmy tylko ty i ja, to jest o wiele,
o wiele ZA GŁOŚNO!!!

3 Karać czy nie karać

Nasze trzecie zajęcia jeszcze się nie rozpoczęły. Ludzie stali w małych grupkach, całkowicie pochłonięci rozmową. Do moich uszu docierały skrawki zdań:

– Po tym, co zrobiła, będzie miała szlaban przez miesiąc!

– Więc powiedziałem sobie: koniec z miłym facetem. Byłem za miękki dla tego dzieciaka. Tym razem mam zamiar go ukarać.

„No dobrze, nie rozmawialiśmy jeszcze o karach, ale wydaje się, że niektórzy tylko na to czekają" – pomyślałam.

– Laura, Michael – zaczęłam. – Czy nie zechcielibyście powiedzieć nam wszystkim, co takiego w zachowaniu dzieci tak bardzo was rozzłościło?

– Byłam nie tylko rozzłoszczona – wyrzuciła z siebie Laura. – Zamartwiałam się na śmierć! Kelly miała być o szóstej na przyjęciu urodzinowym u swojej przyjaciółki Jill. O siódmej zadzwoniła do mnie matka Jill. „Gdzie jest Kelly? Wiedziała, że mamy być w kręgielni o siódmej trzydzieści. Miała to na zaproszeniu. Stoimy tu wszyscy ubrani do wyjścia i czekamy na nią".

Serce zaczęło mi walić. Powiedziałam: „Nie rozumiem. Wyszła dużo przed czasem. Już dawno powinna u was być".

„Jestem pewna, że nie ma powodu do obaw. Mam nadzieję, że za chwilę tu będzie" – powiedziała matka Jill i rozłączyła się. Poczekałam piętnaście minut i zadzwoniłam ponownie. Telefon odebrała Jill. „Nie, Kelly nadal nie ma. A jeszcze dzisiaj w szkole przypominałam jej, żeby się nie spóźniła". Teraz to już ogarnęła mnie panika. Przez głowę przelatywały mi okropne myśli. Po dwudziestu minutach tego koszmaru zadzwonił telefon. To była matka Jill. „Pomyślałam sobie, że na pewno chciałaby pani wiedzieć, że Kelly wreszcie dotarła. Okazuje się, że po drodze spotkała jakiegoś kolegę i była tak zajęta rozmową z nim, że zapomniała, że na nią czekamy. Mam nadzieję, że nie przepadła nam rezerwacja w kręgielni".

Przeprosiłam za córkę i podziękowałam matce Jill za telefon. Ale kiedy Kelly wróciła do domu, naskoczyłam na nią: „Czy nie rozumiesz, na co mnie naraziłaś? Jak mogłaś być taka nierozważna? Taka nieodpowiedzialna? Nigdy nie myślisz o innych, tylko o sobie. To były urodziny Jill. Ale czy ciebie obchodzi przyjaciółka? Nie! Obchodzą cię tylko chłopcy i zabawa. No to przyjmij do wiadomości, że zabawa się skończyła. Masz szlaban do końca miesiąca! I nie myśl, że zmienię zdanie, bo nie zmienię".

Tak jej wtedy powiedziałam. Ale teraz już nie wiem... Może byłam dla niej zbyt surowa.

– Wydaje mi się – wtrącił Michael – że Kelly dostała dokładnie to, na co zasłużyła. Tak samo jak mój syn.

Wszyscy skierowali na niego wzrok.

– Co się stało? – zapytał ktoś. – Co zrobił?

– Chodzi raczej o to, czego nie robi – odpowiedział Michael. – A mianowicie nie odrabia lekcji. Odkąd Jeff zapisał się do drużyny piłkarskiej, obchodzi go tylko piłka nożna. Codziennie ma trening i wraca późno do domu, znika po obiedzie w swoim pokoju, a kiedy pytam, czy odrabia na bieżąco lekcje, odpowiada: „Nic się nie martw, tato. Daję radę!".

Kiedy w niedzielę Jeff wyszedł, poszedłem do jego pokoju i zauważyłem jakiś list na podłodze koło drzwi. Podniosłem go i okazało się, że był zaadresowany do mnie. Był otwarty i nosił datę sprzed tygodnia. Wiecie co? To było upomnienie od nauczyciela matematyki. Przez ostatnie dwa tygodnie Jeff nie odrobił żadnego – a n i j e d n e g o – zadania domowego. Kiedy to zobaczyłem, krew mnie zalała.

Dopadłem go, gdy tylko przekroczył próg. Podniosłem w górę list i powiedziałem: „Okłamałeś mnie, że dajesz radę z lekcjami. Otworzyłeś korespondencję przeznaczoną dla mnie. I wcale mi nie pokazałeś tego upomnienia. Mam ci teraz coś do powiedzenia. Do końca semestru możesz zapomnieć o piłce nożnej. Jutro dzwonię do trenera".

Syn zawołał: „Tato, nie możesz mi tego zrobić!".

Ja na to: „Nie robię ci krzywdy, Jeff. Sam ją sobie zrobiłeś. Koniec dyskusji".

– Czy rzeczywiście nie było dyskusji? – zapytała Laura.

– Jeff próbuje mnie złamać. Przez cały tydzień mnie urabiał, żebym zmienił zdanie. Poparła go moja żona. – Michael spojrzał na nią znacząco. – Myśli, że jestem zbyt surowy.

– A jak pan myśli? – zapytałam Michaela.

– Myślę, że teraz Jeff wie, że nie żartuję.

– Tak – wtrącił Tony. – Czasami kara to jedyny sposób, żeby wpłynąć na dziecko – żeby nauczyć je odpowiedzialności.

– Zastanawiam się – zwróciłam się do wszystkich rodziców – czy kara rzeczywiście sprawia, że dziecko staje się bardziej odpowiedzialne? Zastanówcie się chwilę i wróćcie myślami do własnych doświadczeń z okresu dorastania.

Pierwsza zabrała głos Karen:

– Kara sprawiała, że byłam mniej odpowiedzialna. Kiedy miałam trzynaście lat, matka przyłapała mnie z papierosem i zakazała mi używać telefonu. Paliłam potem jeszcze więcej.

Tylko że robiłam to na podwórku za domem, gdzie nikt mnie nie widział. Potem wchodziłam do domu, szczotkowałam zęby i z uśmiechem mówiłam: „Cześć, mamo". Uchodziło mi to płazem przez wiele lat. Niestety, nadal palę.

– Nie wiem – powiedział Tony. – Według mnie jest czas i miejsce na karę. Weźmy na przykład mnie. Byłem złym dzieciakiem. Gang, z którym się zadawałem, ciągle miał jakieś kłopoty. Byliśmy dziką bandą. Jeden z chłopaków skończył w więzieniu. Daję słowo, że gdyby ojciec mnie nie karał za pewne rzeczy, które zrobiłem, to nie wiem, gdzie bym dzisiaj był.

– A ja nie wiem, gdzie bym dzisiaj była – odezwała się Joan – gdybym nie chodziła na terapię, która pomogła mi przezwyciężyć skutki wszystkich kar, które mi wymierzano.

Tony wydawał się zdumiony jej słowami.

– Nie rozumiem – powiedział.

– Zarówno moja matka, jak i ojciec – wyjaśniała Joan – wierzyli, że jeśli ich dziecko zrobiło coś złego i nie zostało ukarane, to znaczy, że nie są odpowiedzialnymi rodzicami. Zawsze też mówili mi, że karzą mnie dla mojego dobra. Ale to nie było dla mnie dobre. Stałam się złą, przygnębioną nastolatką, której brak było pewności siebie. I nie miałam z kim porozmawiać w domu. Czułam się bardzo samotna.

Westchnęłam. Ci ludzie opisali przed chwilą dobrze znane negatywne skutki wymierzania kar. Tak, niektóre dzieci wskutek karania czują takie zniechęcenie i bezsilność, że zaczynają tracić wiarę w siebie.

Z kolei inne dzieci, tak jak Tony, dochodzą do wniosku, że naprawdę są złe i muszą być ukarane, aby stały się dobre.

A jeszcze inne, jak Karen, hodują w sobie taką złość i żal, że kontynuują swoje zachowanie, ale obmyślają sposoby, jak nie dać się złapać. Nie stają się wcale bardziej uczciwe, ale bardziej ostrożne, skryte, przebiegłe.

Mimo to karanie jest szeroko akceptowane jako ulubiona metoda dyscyplinująca. W istocie wielu rodziców uważa, że dyscyplina i karanie to jedno i to samo. Jak miałam im przekazać swoje przekonanie, że w związku opartym na miłości nie ma miejsca na karanie?

Powiedziałam do rodziców:

– Gdybyśmy z jakiegoś powodu zostali zmuszeni do wyeliminowania kar jako narzędzia dyscypliny, czy stalibyśmy się wtedy zupełnie bezradni? Czy nasze nastoletnie dzieci zaczęłyby rządzić? Czy stałyby się nieznośnymi, niezdyscyplinowanymi, egoistycznymi, zepsutymi bachorami, pozbawionymi jakiegokolwiek poczucia, co jest dobre, a co złe, i weszłyby rodzicom na głowę? Czy może są inne metody niż kara, które mogą motywować naszych nastolatków do odpowiedzialnego zachowania?

Napisałam na tablicy:

ZAMIAST KARAĆ

- ‣ Opisz, co czujesz.
- ‣ Określ, czego oczekujesz.
- ‣ Pokaż, jak można poprawić postępowanie.
- • Zaproponuj wybór.
- ‣ Przejdź do działania.

Zapytałam Laurę i Michaela, czy zechcieliby zastosować te metody w sytuacji, w jakiej się znaleźli. Oboje zgodzili się podjąć to wyzwanie. Na kolejnych stronach zobaczycie, w formie rysunków, rezultaty naszej niełatwej pracy nad scenariuszami, w których zastosowano nowe wskazówki. Najpierw zastanawialiśmy się, w jaki sposób Laura mogła poradzić sobie ze swoją córką Kelly, której lekceważący stosunek do czasu przysporzył jej tak wielkiej troski.

ZAMIAST KARAĆ,

POWIEDZ, CO CZUJESZ.

PRZERAZIŁAM SIĘ, KIEDY ZADZWONIŁA MATKA JILL I POWIEDZIAŁA, ŻE JESZCZE NIE DOTARŁAŚ NA PRZYJĘCIE.

OCH, MAMO, TYLKO TROCHĘ SIĘ SPÓŹNIŁAM.

DLA CIEBIE TO BYŁO TROCHĘ. DLA KAŻDEGO, KTO CZEKAŁ - DŁUGO. WSZYSCY SIĘ ZAMARTWIALI.

NIE BYŁO CZYM.

POWIEDZ, CZEGO OCZEKUJESZ.

SPOTKAŁAM JEDNEGO CHŁOPAKA Z KLASY I GADALIŚMY. STRACIŁAM RACHUBĘ CZASU.

KELLY, OCZEKUJĘ, ŻE JEŚLI MASZ GDZIEŚ BYĆ O KONKRETNEJ GODZINIE, TO DOTRZYMASZ SŁOWA.

WSKAŻ, JAK MOŻNA NAPRAWIĆ SYTUACJĘ.

ZAPROPONUJ WYBÓR.

Załóżmy, że Kelly znowu popełnia to wykroczenie. Załóżmy, że mama znowu odbiera telefon: „Gdzie jest Kelly?". Gdy następnym razem Kelly będzie chciała pójść do koleżanki, mama może...

PRZEJDŹ DO DZIAŁANIA.

Grupa była pod wrażeniem. Mieli wiele do powiedzenia:
- Kiedy pierwszy raz wspomniała pani o metodach zastępujących karę, obawiałam się, że chodzi o jakieś łagodne traktowanie, o to, że rodzic ma udzielić dziecku drobnej reprymendy i dzieciak ma kłopot z głowy. Ale to jest twarda postawa. Mówisz, co czujesz i czego oczekujesz, i podpowiadasz, w jaki sposób ma wziąć na siebie odpowiedzialność.
- To nie jest podłe ani ostre, a dziewczyna nie czuje, że jest kimś złym. Matka jest twarda, ale odnosi się z szacunkiem. Z szacunkiem do dziecka i z szacunkiem do siebie.
- Tak, to nie rodzic jest wrogiem. On jest po stronie dziecka, ale pokazuje mu, że jest wyższy poziom.
- I pokazuje, jak się na niego wznieść.
- I nie przekazuje informacji: „Mam nad tobą całkowitą władzę. Nie pozwolę ci tego zrobić... Zabieram ci to". Zamiast tego oddaje całą władzę w ręce nastoletniego dziecka. Piłka jest po stronie Kelly. To ona ma wymyślić, co może zrobić, aby matka miała spokój ducha – na przykład może dzwonić, jeśli się spóźnia, dzwonić, gdy dotrze na miejsce, i dzwonić jeszcze raz, gdy ma zamiar wrócić do domu.

Laura jęknęła i schwyciła się za głowę.
- Nie wiem - powiedziała. - Kiedy pracuję nad tym tutaj, razem z wami, czuję się pewna siebie. Ale co się stanie, kiedy stanę przed prawdziwym problemem? To podejście wymaga bardzo wiele od rodziców. Trzeba mieć zupełnie inne nastawienie. Prawdę mówiąc, ukaranie dziecka jest o wiele łatwiejsze.
- Łatwiejsze w danej chwili - zgodziłam się. - Jeśli twoim celem jest pomóc córce wziąć na siebie odpowiedzialność i jednocześnie utrzymać dobre relacje z nią, to karanie jej byłoby bezskuteczne. Ale masz rację, Lauro. To podejście wymaga zmiany myślenia. Musimy nabrać wprawy. Zobaczmy, jak te metody można by zastosować do problemu, który Michael ma z synem.

ZAMIAST KARAĆ,

POWIEDZ, CO CZUJESZ.

JEFF, JEST MI BARDZO PRZYKRO. ZNALAZŁEM W TWOIM POKOJU TEN LIST Z OSTRZEŻENIEM.

A, TAK, OTWORZYŁEM GO PRZEZ POMYŁKĘ. MIAŁEM CI POKAZAĆ.

KIEDY? PRZYSZEDŁ TYDZIEŃ TEMU. ALE BARDZIEJ MARTWI MNIE TO, ŻE PRZEZ CAŁY CZAS UDAWAŁEŚ, ŻE ODRABIASZ LEKCJE.

NO WIESZ, MIAŁEM DUŻO ZAJĘĆ - PIŁKA NOŻNA I W OGÓLE.

POWIEDZ, CZEGO OCZEKUJESZ.

JEFF, OCZEKUJĘ, ŻE PRZEMYŚLISZ, CO JEST WAŻNIEJSZE. NAJPIERW SZKOŁA, POTEM PIŁKA.

ALE TATO...

OCZEKUJĘ RÓWNIEŻ, ŻE KIEDY ZAPYTAM O LEKCJE, OTRZYMAM UCZCIWĄ ODPOWIEDŹ.

WSKAŻ, JAK NAPRAWIĆ SYTUACJĘ.

ZAPROPONUJ WYBÓR.

Co zrobić, jeśli Jeff odrabia lekcje, wykonuje wszystkie zadania, ale znowu zaczyna zaniedbywać szkołę? Tata może wtedy...

PRZEJDŹ DO DZIAŁANIA.

Tony pokiwał głową.
– Może coś mi umknęło, ale nie widzę różnicy między przejściem do działania a ukaraniem Jeffa. Przecież za każdym razem ojciec zabrania synowi treningów.
– Zaraz, chyba wreszcie załapałam – włączyła się Laura, odwracając się do Tony'ego. – Kiedy karzesz dziecko, zamykasz przed nim drzwi. Nie ma dokąd pójść. Sprawa jest zakończona. A kiedy podejmujesz działanie, to dziecku może się to działanie nie podobać, ale drzwi są nadal otwarte. Nadal ma szansę. Może zmierzyć się z tym, co zrobiło, i próbować to naprawić. Może zamienić złe w dobre.
– Bardzo dobrze to ujęłaś, Lauro – powiedziałam. – Kiedy przechodzimy do działania, naszym celem jest nie tylko położenie kresu zachowaniu, którego nie można zaakceptować, ale także danie dziecku szansy, by nauczyło się czegoś na własnych błędach. Szansy naprawienia zła, które wyrządziło. Kara może położyć kres zachowaniu, ale może również zniechęcić dziecko do poprawy własnego zachowania.
Spojrzałam na Tony'ego. Nadal wydawał się sceptycznie nastawiony. Mówiłam dalej, pragnąc do niego dotrzeć:
– Przypuszczam, że nastolatek, który został ukarany, nie leży w swoim pokoju, rozmyślając: „Ale jestem szczęściarzem. Mam takich wspaniałych rodziców. Właśnie udzielili mi cennej lekcji. Nigdy więcej tego nie zrobię!". Wydaje się bardziej prawdopodobne, że młody człowiek myśli sobie: „Są podli" albo „To niesprawiedliwe", albo „Nienawidzę ich", albo „Jeszcze im pokażę", albo „I tak zrobię to jeszcze raz – tylko że tym razem na pewno mnie nie złapią".
Rodzice słuchali z wielką uwagą.
Przeszłam do podsumowania:
– Według mnie, problem z karą polega na tym, że zbyt łatwo pozwala ona nastolatkom przejść do porządku dziennego

nad złymi uczynkami i skupić się na tym, że rodzice są do niczego. A nawet jeszcze gorzej, kara pozbawia dziecko możliwości podjęcia pracy nad sobą, która jest niezbędna, aby dziecko stało się bardziej dojrzałe. Bardziej odpowiedzialne. Kiedy dziecko popełni wykroczenie, to mamy nadzieję, że potem coś nastąpi. Mamy nadzieję, że przyjrzy się temu, co źle zrobiło. Że zrozumie, dlaczego to było złe. Że poczuje żal z powodu tego, co zrobiło. Że zastanowi się nad tym, co zrobić, aby to się już nie powtórzyło. I że przemyśli na poważnie, jak naprawić wyrządzoną krzywdę. Innymi słowy, aby doszło do autentycznej zmiany, nasze nastoletnie dzieci muszą odrobić swoje lekcje z emocji. A kara zakłóca ten ważny proces.

W pokoju panowała cisza. O czym myśleli rodzice? Czy jeszcze mieli wątpliwości? Czy wyraziłam się jasno? Czy byli w stanie zaakceptować to, co usłyszeli? Zerknęłam na zegarek. Zrobiło się późno.

– Ciężko się dzisiaj napracowaliśmy – powiedziałam. – Do zobaczenia w przyszłym tygodniu.

Tony podniósł rękę.

– Ostatnie pytanie! – zawołał.

– Proszę. – Skinęłam głową.

– A co zrobić, jeśli użyjemy wszystkich metod, które dzisiaj ćwiczyliśmy, a dziecko mimo to nie zmieni postępowania? Załóżmy, że nie wie, jak się poprawić? Co wtedy?

– To dla nas wskazówka, że trzeba nad tym problemem więcej popracować. Że jest bardziej złożony, niż nam się początkowo wydawało, i że musimy poświęcić mu więcej czasu oraz zebrać więcej informacji.

Tony wydawał się skonsternowany.

– Jak?

– Metodą rozwiązywania problemu.

– Rozwiązywania problemu?

- To proces, o którym pomówimy za tydzień. Popracujemy nad sposobami, które pozwalają rodzicom i dzieciom połączyć siły, przeanalizować możliwości i wspólnie rozwiązać problem.
Po raz pierwszy tego wieczoru Tony uśmiechnął się.
- To mi się podoba - powiedział. - Na pewno nie opuszczę tego spotkania.

RELACJE

Po zajęciach na temat stosowania innych metod niż kara kilka osób wypróbowało nowe umiejętności i opowiedziało nam, w jaki sposób się to odbyło.
Pierwszą historię o swoim czternastoletnim synu Paulu opowiedział Tony.

TONY

Paul i jego przyjaciel Matt jechali pędem ulicą, aż brakowało im tchu, i śmiali się od ucha do ucha. Zapytałem:
- Co jest grane, chłopcy?
- Nic - odparli, po czym spojrzeli na siebie i parsknęli śmiechem. Następnie Matt szepnął coś do Paula i odjechał.
- Czego nie kazał mi mówić? - zapytałem Paula. Nie odpowiedział, więc dodałem: - Powiedz mi prawdę. Nie ukarzę cię.
W końcu to z niego wydobyłem. Paul i Matt pojechali razem na pobliski basen, aby sobie popływać, ale było już zamknięte. Próbowali otworzyć wszystkie drzwi po kolei, aż znaleźli jedne, które nie były zamknięte na klucz, i wśliznęli się do środka. Pozapalali wszystkie światła i biegali po pływalni, robiąc dużo

hałasu. Powywracali wszystkie krzesła w holu, rozrzucając wszędzie poduszki – powrzucali je nawet do basenu. I wydawało im się, że to świetny kawał.

Dzieciak miał szczęście, że obiecałem go nie karać, bo wierzcie mi, kiedy usłyszałem, co zrobił, chciałem zastosować drastyczne środki – odebrać mu kieszonkowe, zabrać komputer, uziemić go na dobre – cokolwiek, żeby tylko zniknął mu z twarzy ten głupkowaty uśmieszek.

Powiedziałem:

– Posłuchaj, Paul. To poważna sprawa. To, co zrobiliście, ma swoją nazwę. Nazywa się to wandalizmem.

Zrobił się czerwony.

– No widzisz! – krzyknął. – Wiedziałem, że lepiej ci nie mówić! Wiedziałem, że zrobisz z tego wielkie halo. Przecież niczego nie ukradliśmy i nie sikaliśmy do basenu!

– No to gratuluję wam – powiedziałem. – Paul, to naprawdę poważna sprawa. Wielu naszych sąsiadów wypruwało sobie żyły, żeby zarobić pieniądze na budowę tego basenu dla swoich rodzin. Są z niego dumni i ciężko pracują, żeby go utrzymać. I tak się składa, że właśnie na tym basenie nauczyłeś się pływać.

– Co ty chcesz zrobić? – zapytał. – Obwinić mnie?

– A żebyś wiedział – odparłem. – Bo uważam, że to, co zrobiliście, było złe, i że musicie to naprawić.

– Co mam zrobić?

– Chcę, żebyś wrócił na pływalnię, i to zaraz, i żebyś tam posprzątał. Ma być tak jak przedtem.

– Zaraz? Rany, dopiero wróciłem do domu!

– Tak, zaraz. Zawiozę cię.

– A co z Mattem? To był jego pomysł. On też powinien jechać! Dzwonię do niego.

I rzeczywiście zadzwonił. Matt powiedział najpierw:

– Nie ma mowy.

Stwierdził, że matka go zabije, jeśli się dowie. Podszedłem do telefonu i powiedziałem;

– Matt, zrobiliście to razem i razem musicie to naprawić. Przyjadę po ciebie za dziesięć minut.

No i zawiozłem chłopaków na basen. Na szczęście drzwi były nadal otwarte. Pomieszczenie wyglądało strasznie. Powiedziałem chłopcom:

– Wiecie, co macie zrobić. Zaczekam w samochodzie.

Przyszli jakieś dwadzieścia minut później i oznajmili:

– Zrobione. Chcesz zobaczyć?

– Tak, jasne – odparłem i poszedłem sprawdzić.

Całe pomieszczenie było posprzątane. Krzesła w holu stały równiutko, poduszki były na swoim miejscu. Stwierdziłem:

– No dobrze. Wszystko wygląda jak zwykle. Zgaście światło i chodźmy.

W drodze do domu chłopcy siedzieli cicho. Nie mogę nic powiedzieć o Matcie, ale sądzę, że Paul w końcu zrozumiał, dlaczego nie powinien był robić tego, co zrobił. I myślę, że był zadowolony, że miał szansę, jak to pani ujęła, naprawić zło.

JOAN

Gotowałam właśnie obiad, kiedy weszła Rachel. Wystarczyło mi jedno spojrzenie na jej przekrwione oczy i głupkowaty uśmiech, aby stwierdzić, że jest na haju. Nie byłam pewna, czy to tylko trawa, ale miałam nadzieję, że nic gorszego. Powiedziałam:

– Rachel, jesteś naćpana.

– Zawsze sobie wyobrażasz nie wiadomo co – odparła i zniknęła w swoim pokoju.

Stałam jak wryta. Nie mogłam w to uwierzyć. To było to samo dziecko, które nie dalej jak miesiąc temu powiedziało mi w zaufaniu:

– Przysięgnij, mamo, że nikomu nie powiesz, ale Louise zaczęła palić trawę. Dasz wiarę? Przecież to straszne.

Pamiętam, że pomyślałam: „Dzięki Bogu, że to nie moja córka". A teraz to! Nie wiedziałam, co zrobić. Czy powinnam ją ukarać? Zakazać jej wychodzenia gdziekolwiek po szkole? (A już na pewno do Louise!) Wymagać, aby od tej pory wracała ze szkoły prosto do domu? Nie, to by tylko wywołało łzy i kłótnie. Poza tym było nierealne.

Nie mogłam jednak udawać, że nic się nie stało. Wiedziałam, że nie ma sensu z nią rozmawiać, zanim to, co wzięła czy paliła, nie przestanie działać. Poza tym potrzebowałam czasu do namysłu. Czy mam jej powiedzieć o swoich eksperymentach, kiedy byłam nastolatką? A jeśli tak, to ile mogę jej powiedzieć? Czy ta wiedza jej pomoże? Czy wykorzysta ją jako usprawiedliwienie swojego postępowania („Ty to robiłaś i nic ci się nie stało")? W każdym razie przez kilka następnych godzin odbyłam z nią w myślach wiele rozmów. Wreszcie po obiedzie, kiedy wydawała się już bardziej sobą, zaczęłyśmy rozmowę. Przebiegała ona w następujący sposób:

– Rachel, nie oczekuję zwierzeń, ale widziałam swoje i wiem swoje.

– Och, mamo, nie dramatyzuj! To była tylko odrobina trawki. Nie powiesz mi, że nigdy tego nie próbowałaś, kiedy byłaś w moim wieku.

– Byłam dużo starsza. Miałam szesnaście lat, a nie trzynaście.

– No widzisz... I nic ci nie jest.

– Wtedy wcale nie było tak różowo. Moi dawni przyjaciele, których ty nazwałabyś grzecznymi dziećmi, przestali się ze mną zadawać, opuściłam się w nauce. Prawdę mówiąc, kiedy zaczęłam, nie miałam pojęcia, w co się pakuję. Myślałam, że to nieszkodliwe. Że papierosy są gorsze.

– Więc dlaczego to rzuciłaś?

– Przez Barry'ego Gifforda, chłopaka z mojej klasy. Rozbił samochód na drzewie, kiedy wracał z imprezy, na której wszyscy ćpali. Barry znalazł się w szpitalu z pękniętą śledzioną. Kilka dni później wszyscy musieliśmy pójść na wykład ostrzegający przez narkotykami i rozdali nam broszury. Potem stwierdziłam, że nie warto ryzykować.

– Och, pewnie chcieli was przestraszyć.

– Też tak myślałam. Ale przeczytałam całą broszurę. O niektórych rzeczach już wiedziałam, ale znalazłam też mnóstwo informacji, o których nie miałam pojęcia.

– Na przykład co?

– Że trawka pozostaje w organizmie przez wiele dni po paleniu. Że źle wpływa na pamięć i koordynację, a nawet zaburza cykl miesiączkowy. I że jest gorsza dla organizmu niż papierosy. Nie miałam pojęcia, że marihuana ma więcej składników chemicznych powodujących raka niż papierosy. Byłam tym zaskoczona.

Rachel wydawała się teraz zmartwiona. Otoczyłam ją ramieniem i powiedziałam:

– Słuchaj, moja droga, gdybym mogła, chodziłabym za tobą dzień i noc, aby dopilnować, że nikt ci nie da ani nie sprzeda niczego, co mogłoby ci wyrządzić szkodę. Ale to by było czyste wariactwo. Muszę więc liczyć na to, że będziesz wystarczająco bystra, aby obronić się samodzielnie przed tymi wszystkimi świństwami, które ci podsuwają. Wierzę, że tak będzie. Wierzę, że zrobisz to, co jest dla ciebie dobre – nie zważając na naciski ze strony innych.

Nadal wyglądała na zmartwioną. Mocno ją przytuliłam i na tym się skończyło. Więcej nie rozmawiałyśmy na ten temat. Myślę, że to, co powiedziałam, zrobiło na niej wrażenie, ale nie zamierzam podejmować najmniejszego ryzyka. Dzieciaki okłamują rodziców, gdy chodzi o narkotyki (wiem – sama kłamałam), więc chociaż nie podoba mi się pomysł, żeby myszkować w jej pokoju, to jednak sądzę, że będę go raz na jakiś czas sprawdzała.

GAIL

Neil, mój piętnastoletni syn, zapytał mnie, czy Julie, jego przyjaciółka od wczesnego dzieciństwa, może u nas przenocować w sobotę. Jej rodzice wyjeżdżają na wesele za miasto, a babcia, która miała z nią zostać, zachorowała i nie może przyjść.

Pomyślałam: „Czemu nie?". Mój młodszy syn jedzie na weekend do swojego ojca, więc Julie mogłaby spać w jego pokoju. Oczywiście zadzwoniłam do matki Julie, aby się dowiedzieć, jak ona się na to zapatruje. Bardzo się ucieszyła z tej propozycji – ulżyło jej, że odpowiedzialna dorosła osoba przyjmie córkę na noc pod swój dach.

Kiedy przyjechała Julie, pokazałam jej, gdzie będzie spać. Potem we trójkę zjedliśmy obiad w miłej atmosferze i obejrzeliśmy film na wideo.

Następnego ranka zadzwoniła matka Julie, żeby powiedzieć, że jest już w domu. Poprosiła Julie do telefonu. Poszłam po nią na górę. Drzwi do jej pokoju były uchylone, a łóżko wyglądało tak, jakby nikt w nim nie spał! Poduszki, które starannie poukładałam poprzedniego dnia, leżały w nienaruszonym stanie. Stałam tam z rozdziawionymi ustami, gdy nagle usłyszałam śmiech dobiegający z sypialni Neila.

Z całej siły zastukałam w drzwi i krzyknęłam, że dzwoni matka Julie i chce z nią porozmawiać.

Gdy w końcu drzwi się otworzyły, z pokoju wyszła rozczochrana i zawstydzona Julie. Unikała mojego wzroku, zbiegła na dół, aby porozmawiać z matką, po czym wróciła szybko na górę po plecak, podziękowała mi za wszystko i poszła do domu.

Gdy tylko zniknęła za drzwiami, wybuchnęłam:

– Neil, jak mogłeś mi to zrobić?! Dałam słowo matce Julie, że zaopiekuję się jej córką. Że będzie bezpieczna i nic jej się nie stanie!

– Ale, mamo, ona... – zaczął Neil.

Przerwałam mu.

– Żadnego ale, mamo. To, co zrobiłeś, jest niewybaczalne.

– Ale, mamo, nic się nie stało.

– No rzeczywiście. Dwoje nastolatków spędza razem noc w tym samym łóżku i nic się nie stało. Myślisz, że jestem taka głupia? Powiem ci, co się nie stanie w następny weekend. Nie pojedziesz z klasą na wycieczkę na narty.

Tak powiedziałam i tak myślałam, uważałam, że właśnie na to sobie zasłużył. Potem wyszłam z pokoju, żeby nie wysłuchiwać, jak nawija, że zachowuję się bez sensu.

Kilka minut później zmieniłam zdanie. W jaki sposób zakaz wyjazdu na narty miał uświadomić Neilowi, że nie powinien był robić tego, co zrobił? Wróciłam więc do jego pokoju i powiedziałam:

– Posłuchaj, Neil, zapomnijmy o tym, co powiedziałam o wycieczce. Tak naprawdę chciałam powiedzieć co innego: wiem, że seks jest normalną, zdrową sferą życia, ale tak czy inaczej rodzice martwią się, kiedy uprawiają go ich dzieci. Boją się, że córki zajdą w ciążę, że synowie zostaną ojcami. Martwią się AIDS i wszystkim innym...

Nie pozwolił mi skończyć:

– Dosyć, mamo! Nie potrzebuję wykładu o seksie. Wszystko o tym wiem. Poza tym przecież ci mówiłem, że nic się nie stało! Leżeliśmy tylko na łóżku i oglądaliśmy telewizję.

No cóż, może oglądali, a może nie. Stwierdziłam, że wątpliwości przemawiają na jego korzyść. Powiedziałam:

– Cieszę się, że tak mówisz, Neil. Bo zapraszając Julie na noc do naszego domu, wziąłeś na siebie zobowiązanie – zarówno wobec Julie, jak i jej matki... oraz mnie. Zobowiązanie, które musi być dotrzymane.

Neil nic nie odpowiedział, ale po wyrazie twarzy widziałam, że moje słowa do niego trafiły. I to mi wystarczyło. Nie wracałam więcej do tego tematu.

JIM

Moja żona i ja sądziliśmy, że kupując nowy komputer, wszystko dokładnie zaplanowaliśmy. Postawiliśmy komputer w pokoju dziennym (wbrew protestom naszej dwunastoletniej Nicole, która twardo optowała za tym, aby postawić go w jej pokoju), zainstalowaliśmy najnowsze oprogramowanie filtrujące (słyszeliśmy, że istnieją co najmniej trzy miliony stron pornograficznych, na które dziecko może przypadkowo trafić), opracowaliśmy ogólny harmonogram dostępu, który miał uwzględniać potrzeby wszystkich członków rodziny. Powiedzieliśmy też jasno, że po godzinie dziewiątej wieczorem korzystanie z komputera przez Nicole jest stanowczo zakazane i że może go używać tylko do nauki i do kontaktowania się z przyjaciółmi.

Dobre pomysły, prawda? Tymczasem kilka dni temu obudziłem się tuż po północy, zobaczyłem światło w pokoju dziennym, wstałem, żeby je zgasić, i natknąłem się na Nicole

przyklejoną do komputera. Była tak zajęta, że nawet nie sły-
szała, jak wszedłem. Stanąłem za nią i przeczytałem z ekranu:
„Courtney, jesteś taka słodka i zabawna, i seksowna. Kiedy
możemy się spotkać?" Gdy tylko mnie zauważyła, wpisała „rzp"
(dowiedziałem się później, że to znaczy „rodzice za plecami")
i wyczyściła ekran.

Przeszedł mnie zimny dreszcz. Tyle już słyszałem o tym, co
przytrafia się młodym dziewczętom, które poznają nastoletnich
chłopaków na czacie. Chłopak prawi komplementy, mówi dziewczynie, jak wiele mają wspólnego, sprawia, że czuje się ona kimś
wyjątkowym, i w końcu dochodzi do momentu, kiedy zgadza się
z nim spotkać. Tylko potem okazuje się, że on nie jest słodkim
nastolatkiem, ale jakimś starym facetem, łowcą seksualnym,
który zamierza jej zrobić nie wiadomo co.

Powiedziałem:

– Nicole, co ty, do licha, wyprawiasz?! Czy nie zdajesz sobie
sprawy, na jakie niebezpieczeństwo się narażasz? Powinienem
natychmiast odebrać ci wszystkie przywileje komputerowe!

Od razu przeszła do obrony. Powiedziała, że nie ma czym się
tak denerwować, że tylko się tak bawiła, że nie używała nawet
prawdziwego imienia i że ma dość rozumu, żeby odróżnić wred-
nego psychola od normalnej osoby.

– Nicole, posłuchaj, co ci powiem – odparłem. – Nie ma żadnego sposobu, żeby ich odróżnić! Najgorsi psychole potrafią
zachowywać się w sposób zupełnie normalny i czarujący. Doskonale wiedzą, jak wyprowadzić w pole młodą dziewczynę.
Mają duże doświadczenie.

Dodałem jeszcze, że ma mi podać swoje hasło, bo od tej chwili
matka i ja będziemy regularnie sprawdzać, z kim się kontaktuje
w sieci.

Jak zareagowała? Nie mam do niej zaufania... Nie mam
prawa... Naruszam jej prywatność itp., itd. Ale kiedy skończy-

łem opowiadać budzące grozę historie o tych normalnych facetach, którzy okazywali się prześladowcami, porywaczami, gwałcicielami, a nawet gorzej, była w stanie powiedzieć tylko cichutkim głosem:

– Nie można wierzyć we wszystko, co mówią.

Chyba chciała zachować twarz. Ale myślę, że w gruncie rzeczy poczuła ulgę, że ojciec uważa, by nic jej się nie stało, i że nie daje się zwieść byle czym.

Szybkie przypomnienie...

Zamiast karać

NASTOLATEK: Przyrzekałeś, że rzucisz palenie, a wcale nie rzuciłeś! Jesteś zakłamany. Umiesz tylko gadać.

RODZIC: A ty, pyskaczu, masz szlaban na cały weekend!

Zamiast tego:

OPISZ, CO CZUJESZ.
„Złości mnie takie gadanie".

OKREŚL, CZEGO OCZEKUJESZ.
„Kiedy staram się rzucić palenie, oczekuję od mojego syna wsparcia – a nie atakowania".

ZAPROPONUJ WYBÓR.
„Przezywanie sprawia przykrość. Możesz mi powiedzieć, co według ciebie mogłoby mi pomóc rzucić palenie, albo możesz to napisać".

POKAŻ, JAK MOŻNA NAPRAWIĆ POSTĘPOWANIE.
„Kiedy wiesz, że kogoś obraziłeś, dobrze jest przeprosić".

Co zrobić, jeśli nastolatek nadal okazuje brak szacunku?

PRZEJDŹ DO DZIAŁANIA (WYCHODZĄC Z POKOJU).
„Ta rozmowa jest zakończona. Nie będę wysłuchiwał obraźliwych uwag".

4 Wspólne szukanie rozwiązania

Karen zaczęła mówić, zanim wszyscy zdążyli zająć miejsca.
– Nie mogłam się doczekać tych zajęć. Pamiętacie, jak w zeszłym tygodniu Tony zapytał, co zrobić, jeśli żadna z metod zastępujących karę nie skutkuje? Powiedziała pani coś o rozwiązywaniu problemu. Mam teraz wielki problem ze Stacey i zupełnie nie wiem, jak go rozwiązać.
– Mam dobrą wiadomość – oznajmiłam. – Nie musi go pani rozwiązywać sama. Metoda pięciu kroków, którą dzisiaj poznacie, pokazuje, że rodzice i nastolatki mogą usiąść razem i wspólnie uporać się z problemem.
– Usiąść?! – wykrzyknęła Laura. – Kto ma czas na siedzenie? W moim domu każdy ciągle się gdzieś śpieszy. Rozmawiamy ze sobą w biegu.
– Ludzie mają dziś napięty harmonogram – powiedziałam. – Nie jest łatwo znaleźć czas. Jednak ten proces wymaga właśnie czasu. Nie wymyślicie razem nic twórczego, jeśli ktoś z was się śpieszy albo jest podenerwowany. Aby ta metoda przyniosła rezultaty, najlepiej jest poczekać, aż obie strony będą w miarę spokojne.

- No tak - dodał Tony - ale gdy tylko powiemy dziecku, że chcemy z nim porozmawiać o czymś, co zrobiło, a co nam się nie podoba, to nawet jeśli my sami będziemy całkowicie opanowani, dziecko i tak zacznie się niepokoić.

- I dlatego - odparłam - naszym pierwszym krokiem, gdy już poruszymy dany problem, powinno być poproszenie nastolatka, aby opowiedział nam, jak ta sprawa wygląda z jego punktu widzenia. To znaczy, że musimy trzymać nasze emocje na wodzy, przynajmniej przez ten czas, i słuchać. Kiedy dziecko będzie wiedziało, że wysłuchaliśmy je i rozumiemy jego punkt widzenia, prawdopodobnie z większym spokojem wysłucha tego, co mamy do powiedzenia.

- I co dalej? - zapytała Karen niecierpliwie.

- Reszta należy do was - oznajmiłam. -Razem musicie się zastanowić i wymyślić coś, co będzie dobre dla obu stron. Pozwólcie, że posłużę się przykładem z własnego domu. Kiedy mój syn miał niespełna czternaście lat, odkrył heavy metal. Puszczał tę muzykę - o ile w ogóle można tak to nazwać - tak głośno, że drżały szyby w oknach. Poprosiłam go grzecznie, żeby przyciszył. I nic. Krzyknęłam, żeby przyciszył. I znowu nic. Użyłam wszystkich metod, o których rozmawialiśmy na zajęciach na temat zachęcania do współpracy: opisałam, udzieliłam informacji, zaproponowałam wybór, napisałam liścik... Nawet wykorzystałam humor. Sądziłam, że jestem bardzo zabawna. Ale on był innego zdania.

Pewnego wieczoru puściły mi nerwy. Wpadłam jak burza do pokoju syna, wyłączyłam z prądu magnetofon i zagroziłam, że zabiorę mu sprzęt. Możecie sobie wyobrazić te krzyki, które potem nastąpiły.

Tamtej nocy nie mogłam zasnąć. Następnego dnia postanowiłam zastosować metodę, z której jeszcze nie skorzystałam

– rozwiązywanie problemu. Poczekałam, aż zjemy śniadanie, i dopiero potem napomknęłam o sprawie. Gdy tylko wymówiłam słowo „muzyka", wstał od stołu. Powiedział: „O, nie, tylko nie zaczynaj znowu!", a ja odparłam: „Tak, znowu zaczynam. Tylko że tym razem chcę spojrzeć na tę sprawę z twojego punktu widzenia... Naprawdę chciałabym zrozumieć, o co ci chodzi". To go zaskoczyło. Stwierdził: „Najwyższy czas!". A potem powiedział mi dokładnie, co czuje: „Myślę, że jesteś przewrażliwiona. Muzyka nie jest aż taka głośna – musi być głośno, żeby było można poczuć uderzenie i usłyszeć słowa. Słowa są naprawdę świetne, mimo że ty ich nie cierpisz. Ale gdybyś kiedyś tak naprawdę się wsłuchała, to może też by ci się spodobały".

Nie dyskutowałam z nim. Potwierdziłam wszystko, co powiedział, a potem zapytałam, czy może wysłuchać, co ja czuję.

Odparł: „Wiem, co czujesz. Uważasz, że słucham za głośno".

„Właśnie. Staram się zachować spokój, ale to się nie udaje".

„To noś zatyczki w uszach".

I tym razem nie dyskutowałam. Zapisałam ten pomysł i powiedziałam: „To jest pierwszy pomysł! Może uda nam się wymyślić coś jeszcze, co będzie dobre dla nas obojga".

Wymieniliśmy wszelkie możliwe pomysły – nakładanie słuchawek, wyciszenie ścian w jego pokoju, rozłożenie dywanu na podłodze, przyciszenie dźwięku (odrobinę), zamykanie drzwi do sypialni i do kuchni.

Przeglądając potem tę listę, od razu wyeliminowaliśmy zatyczki do uszu dla mnie (nie chciałam krążyć po domu z zatkanymi uszami), słuchawki dla niego (głośna muzyka mogła mu uszkodzić słuch) i wyciszenie pokoju (zbyt kosztowne). Zgodziliśmy się jednak, że mogłoby pomóc rozłożenie dywanu na podłodze, zamykanie drzwi i przyciszenie dźwięku – choćby odrobinę. Ale okazało się, że najbardziej zależało mu na tym, abym posłuchała razem z nim tej muzyki i „chociaż dała jej szansę".

No i posłuchałam, a wkrótce zrozumiałam trochę lepiej, dlaczego ta muzyka może do niego przemawiać. Zaczęłam nawet rozumieć, dlaczego młodzieży mogą się podobać słowa, które mnie wydawały się tak odrażające. Nastolatki identyfikują się chyba z tekstami, które wyrażają ich gniew i frustrację. Czy zapałałam miłością do tej muzyki? Nie. Ale zaczęłam ją bardziej akceptować. I myślę, że dzięki temu, iż zgodziłam się spędzić z nim trochę czasu w jego świecie, on z kolei był w stanie bardziej liczyć się z moimi odczuciami. Czasami nawet pytał: „Mamo, czy nie za głośno dla ciebie?".

Tak wygląda moje doświadczenie. Zobaczmy teraz, jak można zastosować tę metodę w sytuacji, która większości z was jest pewnie doskonale znana – bałagan, nieporządek, chaos, czy jak to nazwiemy, w pokoju nastolatka.

Rodzice roześmiali się ze zrozumieniem. Michael powiedział:

– Ja to nazywam wysypiskiem śmieci.

– W naszym domu – dodała Laura – nazywamy to czarną dziurą. Cokolwiek do niej wpadnie, jest stracone.

– A jak nazywacie dzieci?

Z sali dobiegały określenia: „Flejtuch", „Prosię", „Mieszkasz jak w chlewie", „Kto się będzie chciał ożenić z taką bałaganiarą jak ty?".

Sięgnęłam do teczki.

– Pokażę teraz metody zastępujące takie przemowy – powiedziałam i rozdałam ilustracje, które przedstawiały, jak przebiega proces rozwiązywania problemu, krok po kroku.

Na kilku następnych stronach prezentujemy rysunki, które otrzymali rodzice na zajęciach.

WSPÓLNE ROZWIĄZYWANIE PROBLEMU.

KROK I

POPROŚ NASTOLATKA, ABY PRZEDSTAWIŁ SWÓJ PUNKT WIDZENIA.

PRZEDSTAW SWÓJ PUNKT WIDZENIA.

ZAPROŚ SWOJEGO NASTOLATKA DO WSPÓLNEJ BURZY MÓZGÓW.

ZANOTUJ WSZYSTKIE POMYSŁY – NIEMĄDRE I ROZSĄDNE – NIE OCENIAJĄC ICH.

PRZEJRZYJCIE LISTĘ. ZADECYDUJCIE, KTÓRE POMYSŁY MOŻECIE OBOJE ZAAKCEPTOWAĆ I JAK WPROWADZIĆ JE W ŻYCIE.

- Nie chcę tego podważać – powiedziała Karen – bo widzę, jakie to postępowanie przynosi rezultaty, kiedy dziecko ma bałagan w pokoju. Ale to nie jest poważny problem. Stacey zrobiła w ubiegłym tygodniu coś, co mnie naprawdę zmartwiło. Wiem, że się zdenerwowałam, czym jeszcze pogorszyłam sprawę. Jednak nadal nie wiem, jak mogłabym zastosować którąś z tych metod w mojej sytuacji.

- A co takiego zrobiła? – zapytała Laura. – Nie możemy działać po omacku.

Karen wzięła głęboki oddech.

- No dobrze, opowiem o tym. W ubiegły piątek wybraliśmy się z mężem na kolację i do kina. Zanim wyszliśmy, Stacey, która ma trzynaście lat, spytała, czy mogą do niej przyjść dwie koleżanki. Oczywiście wyraziliśmy zgodę. Film się wcześnie skończył, a kiedy wróciliśmy do domu, zobaczyliśmy dwóch chłopaków wybiegających bocznymi drzwiami. Mąż pobiegł za nimi, a ja weszłam do domu.

Od razu wiedziałam, że coś nie gra. Okna były otwarte na oścież, w domu było przeraźliwie zimno, cały pokój śmierdział dymem z papierosów, a Stacey z koleżankami upychała w kuchni puszki od piwa na dno wiadra i przykrywała je gazetami.

Gdy tylko mnie zobaczyła, powiedziała:

- To nie moja wina.

- Porozmawiamy później – odparłam i wysłałam dziewczęta do domu.

Ledwo zniknęły za drzwiami, Stacey zaczęła mi opowiadać całą długą historię i przytaczać wszystkie możliwe usprawiedliwienia.

- Powiedziałam jej, że ja nie kupiłam tych trunków, że zna reguły i z rozmysłem je złamała. A potem dałam jej do zrozumienia, że ani ojciec, ani ja nie uważamy jeszcze tej sprawy za zakończoną. I dlatego tu dzisiaj jestem. Ale rozwiązywanie problemu? No nie wiem. Naprawdę nie widzę, jak mogłoby to pomóc.

– Nie dowiemy się, jeśli nie spróbujemy – oświadczyłam. – Czy chciałaby pani odegrać ze mną scenkę z podziałem na role? – zapytałam.

Karen była niezdecydowana.

– Jaką rolę miałabym zagrać?

– Jaką pani chce.

Zastanawiała się chwilę.

– Chyba powinnam zagrać Stacey. Bo wiem, co by powiedziała. Od czego mam zacząć?

– Ponieważ jestem mamą – powiedziałam – i to ja zamartwiam się tym problemem, do mnie należy rozpoczęcie rozmowy.

Przysunęłam krzesło do Karen.

– Mam nadzieję, że masz trochę czasu, Stacey, bo musimy porozmawiać o wczorajszym wieczorze.

Karen (teraz Stacey) zsunęła się w krześle i przewróciła oczami.

– Próbowałam z tobą rozmawiać, ale nie chciałaś słuchać!

– Wiem – odparłam. – Mogło cię to zdenerwować. Ale teraz jestem gotowa cię wysłuchać.

Oto jak przebiegał dalej nasz dialog:

STACEY: Powiedziałam ci już, że w ogóle nie wiedziałam, że przyjdą ci chłopacy. Nawet ich nie znam. Nie są z mojej klasy. Są starsi.

MATKA: Więc ich przyjście zupełnie cię zaskoczyło.

STACEY: No właśnie! Kiedy otworzyłam drzwi, to zobaczyłam, że oprócz Jessie i Sue stoją ci dwaj chłopacy. Nie zaprosiłam ich do środka. Powiedziałam Jessie, że moi rodzice się wkurzą, jeśli wpuszczę do domu chłopaków.

MATKA: Czyli dałaś im jasno do zrozumienia, że chcesz, aby sobie poszli.

STACEY: Tak, ale powiedzieli, że zostaną tylko kilka minut.

MATKA: I myślałaś, że tak będzie.

STACEY: Właśnie. Już ci mówiłam, że nie sądziłam, że mają zamiar palić i pić. Kiedy im zabroniłam, śmiali się. Nawet nie wiedziałam, że Jessie pali.

MATKA: Bardzo się starałaś ich powstrzymać, ale nikt cię nie słuchał. Byłaś w trudnej sytuacji, Stacey.

STACEY: Bardzo trudnej!

MATKA: Stacey, powiem ci, jak ja to odebrałam. Byłam w szoku, kiedy wróciłam do domu i zobaczyłam, że dwóch chłopaków wybiega z domu bocznymi drzwiami, kiedy poczułam smród papierosów i znalazłam puszki od piwa w wiadrze na śmieci, i...

STACEY: Ale, mamo, przecież ci powiedziałam, że to nie była moja wina!!!

MATKA: Teraz to rozumiem. Ale muszę mieć pewność, że to się nie powtórzy. Podstawowe pytanie brzmi: Jak to zrobić, żebyś mogła spokojnie przyjmować w domu koleżanki i żebyśmy mieli z tatą pewność, że nasze reguły są przestrzegane – bez względu na to, czy jesteśmy w domu, czy nie.

STACEY: Mamo, to żaden problem. Muszę tylko powiedzieć Sue i Jessie, że nie mogą przyprowadzać chłopaków, kiedy was nie ma w domu.

MATKA: Dobrze, zapiszę to. To pierwsza propozycja na naszą listę. A ja mam taki pomysł: zainstalować wizjer na drzwiach. W ten sposób będziesz wiedziała, kto stoi za drzwiami, zanim otworzysz.

STACEY: A jeśli ktoś będzie chciał zapalić, powiem mu, żeby wyszedł na dwór.

MATKA: Możemy zrobić tabliczki: ZAKAZ PALENIA i rozwiesić je w różnych miejscach domu. Możesz wszystkim powiedzieć, że to twoja wredna matka kazała ci to zrobić... Co jeszcze?

Nagle Karen przerwała scenkę.

– Wiem, wiem, jeszcze nie skończyłyśmy, wiem, że mamy zebrać wszystkie propozycje i zdecydować, które są najlepsze i tak dalej, ale muszę powiedzieć, co się ze mną działo, kiedy odgrywałam Stacey. To było zdumiewające. Czułam się taka szanowana... czułam, że matka naprawdę mnie wysłuchała... że mogę bez obawy powiedzieć jej, co naprawdę czułam, i że nie skoczy mi do gardła... i że jestem mądra, bo mam jakieś swoje pomysły, no i że matka oraz ja stanowimy zgrany zespół.

Uśmiechnęłam się promiennie do Karen. W swój własny niepowtarzalny sposób wyraziła najważniejszą rzecz, jaką chciałam zakomunikować całej grupie.

Podziękowałam jej za to, że tak bardzo wczuła się w rolę i że przekazała nam, jakie przemiany zachodziły w jej wnętrzu. Kilka osób mi przyklasnęło.

Karen uśmiechnęła się do nich szeroko.

– Nie chwalcie mnie jeszcze – powiedziała. – Wielka premiera dopiero przede mną. Teraz prawdziwa matka musi wrócić do domu i załatwić to z prawdziwą Stacey. Życzcie mi powodzenia.

Z całej sali popłynęły okrzyki:

– Powodzenia, Karen!

W takim podniosłym nastroju zakończyliśmy spotkanie.

RELACJE

Kiedy rodzice znaleźli czas, aby usiąść ze swoimi nastoletnimi dziećmi i zastosować nową metodę rozwiązywania problemu, zyskali wiele nowych doświadczeń. Oto najważniejsze refleksje, które nam przekazali:

KAREN: Rozwiązywanie problemu pomaga rodzicom dowiedzieć się, co się naprawdę dzieje.

Gdy w zeszłym tygodniu wracałam z zajęć, nie wiedziałam, czy Stacey w ogóle będzie chciała ze mną rozmawiać. Tyle niedobrych uczuć narosło między nami. Ale gdy tylko zastosowałam pierwszy krok „metody" – to znaczy wysłuchanie jej punktu widzenia i zaakceptowanie jej uczuć – stała się inną osobą. Nagle zaczęła mi mówić o rzeczach, o których wcześniej w życiu by mi nie powiedziała.

Dowiedziałam się, że jeden z tych chłopców to był nowy chłopak Jessie, że ciągle się śmiała, zgrywała i mizdrzyła do niego, a kiedy zaproponował jej papierosa, wzięła go i zapaliła.

Nie odzywałam się, tylko słuchałam i przytakiwałam. Potem powiedziała mi, że chłopcy przynieśli sześciopak piwa, a kiedy wszystko wypili, zaczęli się rozglądać za innym alkoholem. Jeden z nich znalazł barek i obaj napili się trochę szkockiej. Próbowali namówić dziewczyny na jednego, ale tylko Jessie uległa.

O rany, ale musiałam nad sobą panować! Cieszę się, że mi się udało, bo im dłużej rozmawiałyśmy, tym lepiej rozumiałam, przez co przechodziła Stacey. Zauważyłam, że po części była podekscytowana tą sytuacją, ale przeważało jednak, jak sądzę, uczucie strachu i bezradności.

Już sam fakt, że się o tym dowiedziałam, znacznie ułatwił naszą dalszą dyskusję. Nie musiałam tracić czasu na wyjaśnia-

nie, co czuję (Stacey już znała moje poglądy na temat palenia
i picia), a stworzenie listy rozwiązań również nie trwało długo.
Oto, co razem uzgodniłyśmy:

> ▸ Nie wolno wpuszczać do domu żadnych chłopców, jeśli nie
> ma rodziców.
> ▸ Zakaz picia jakichkolwiek napojów alkoholowych.
> ▸ Ten, kto musi zapalić papierosa, będzie wychodził na
> dwór.
> ▸ Mama powie Sue i Jessie, jakie są nowe zasady obowiązujące
> w domu (w przyjacielski sposób).
> ▸ Tata założy zamek na drzwiach barku z alkoholem.
> ▸ Jeśli potrzebna jest pomoc dorosłych, a rodzice są poza za-
> sięgiem, dzwoń pod którykolwiek numer wywieszony na
> drzwiach lodówki.

Po stworzeniu tej listy obie byłyśmy zadowolone. Razem
udało nam się uzgodnić pewne sprawy. Zamiast narzucać od-
górnie jakieś prawo, pozwoliłam Stacey wypowiedzieć się na
jego temat.

LAURA: Nie zawsze trzeba przejść przez wszystkie eta-
py rozwiązywania problemu, aby znaleźć rozwiązanie.

Kelly weszła tanecznym krokiem do mojego pokoju, aby pokazać swoje nowe ciuchy. Szczebiotała podekscytowana:
– Mamo, zobacz, co kupiłam za pieniądze z urodzin. Prawda,
że super? To ostatni krzyk mody! Prawda, że śliczne?
Rzuciłam na nią okiem i pomyślałam: „Całe szczęście, że w jej
szkole obowiązują mundurki". Potem przyszła mi do głowy

następna myśl: „No dobrze, przyszedł chyba czas, aby matka i córka zajęły się razem rozwiązaniem problemu". Zaczęłam od pierwszego kroku – potwierdzenia jej uczuć.

– Słyszę, Kelly. Słyszę, że bardzo ci się podoba ta maleńka koszulka, która tak dobrze pasuje do tych obcisłych dżinsów.

Następnie wyraziłam własne uczucia:

– Sądzę, że ten ubiór nasuwa niedwuznaczne skojarzenia. Nie chcę, aby moja córka wystawiała na widok publiczny swoje nagie ciało i pokazywała wszystkim pępek. Myślę, że to wysyłanie złego przekazu.

Nie podobało jej się to, co usłyszała. Padła na krzesło i powiedziała:

– Mamo, kompletnie nie nadążasz.

– Może to i prawda – odparłam – ale czy mogłybyśmy znaleźć jakieś rozwiązanie, które by...

Jeszcze zanim skończyłam to zdanie, powiedziała:

– No to nie będę tego nosić w miejscach publicznych. Tylko w domu, kiedy przyjdą koleżanki. Dobrze?

– Dobrze – zgodziłam się. I koniec sprawy. Przynajmniej na jakiś czas. Bo dobrze wiem, jak to dzisiaj wygląda. Dziewczęta wychodzą z domu ubrane, jak zwykła mawiać moja matka, „niczym młode damy". Ale gdy tylko znikną za rogiem, podwijają koszulki, opuszczają dżinsy nisko na biodra, no a pępek jest wystawiony na widok publiczny.

Jim: Nie odrzucajcie żadnych propozycji waszego nastolatka. Czasami najgorsze pomysły prowadzą do najlepszych rozwiązań.

Jared, mój czternastoletni syn, zaczął nagle narzekać, że siostra, która ma dwanaście lat, doprowadza go do szału. Kiedy przychodzą do niego koledzy, ona zawsze znajduje jakiś pretekst, żeby wejść do jego pokoju i zwrócić na siebie uwagę. Rozumiem, o co chodzi, ale to okropnie denerwuje Jareda. Krzyczy na siostrę, żeby się wynosiła, i krzyczy na moją żonę, żeby jej nie pozwalała wchodzić.

Pewnego wieczoru po kolacji postanowiłem wypróbować z nim metodę rozwiązywania problemu. Pierwszy krok naprawdę wymagał ode mnie panowania nad sobą. Musiałem po prostu siedzieć i wysłuchiwać wszystkich jego skarg na siostrę. A kiedy zaczął, nie mógł przestać.

– Jest taka upierdliwa... Zawsze się kręci w pobliżu, kiedy przychodzą moi koledzy... Wymyśla jakieś bzdury, żeby wejść do mojego pokoju... Szuka papieru albo chce mi coś pokazać... I nigdy nie puka... A kiedy mówię jej, żeby wyszła, to stoi tam jak idiotka.

Przyznałem, że musi go to bardzo wkurzać, ale nie wspomniałem o tym, jak bardzo czuję się przygnębiony, kiedy słyszę, że mówi o swojej siostrze w taki sposób. Wiedziałem, że nie jest w nastroju do słuchania o moich uczuciach.

Gdy powiedziałem mu, że musimy mieć dużo twórczych pomysłów, żeby to rozwiązać, to pierwszą myślą, którą rzucił było: „Wysłać ją na Marsa".

Zapisałem to, a syn się szeroko uśmiechnął. Z kolejnymi punktami listy poszło nam szybko.

- ‣ Zawiesić na drzwiach tabliczkę NIE WCHODZIĆ. (Jared)
- ‣ Tata powinien jej powiedzieć, że n i g d y n i e w o l n o j e j wchodzić do mojego pokoju, jeśli na to nie pozwolę. (Jared)
- ‣ Jared powinien powiedzieć siostrze, spokojnie i d y p l o m a t y c z n i e, że wymaga poszanowania swojej prywatności, kiedy przychodzą koledzy. (tata)

‣ Zawrzeć z nią umowę. Jeśli zostawi mnie w spokoju, kiedy są m o i koledzy, to ja nie będę dokuczał j e j koleżankom, kiedy przyjdą do niej. (Jared)

I na tym stanęło. To było kilka dni temu. W tym czasie Jared porozmawiał już z Nicole, ja też. Ale wielki sprawdzian dopiero nas czeka. W sobotę przychodzą jego koledzy na próbę zespołu.

MICHAEL: Jeśli zastosujemy metodę rozwiązywania problemu z naszymi nastoletnimi dziećmi, to jest bardziej prawdopodobne, że zastosują one to samo podejście wobec nas.

Podsłuchałem, jak Jeff mówił przez telefon do kolegi o odjazdowym koncercie rockowym, na który koniecznie muszą pójść. Kiedy skończył rozmowę, powiedział:

– Tato, muszę natychmiast z tobą porozmawiać.

Pomyślałem: „Oho, zaczyna się. Znowu będzie ta sama stara śpiewka:»Nigdzie mi nie pozwalasz chodzić. Nic strasznego się nie stanie. Wszyscy ojcowie...« itp. itd.".

Ale ku mojemu zdumieniu Jeff powiedział:

– Tato, Keith chciałby, żebym poszedł na koncert w tę sobotę. To będzie w mieście. Ale zanim coś powiesz, chcę usłyszeć, jakie masz zastrzeżenia. Podaj wszystkie powody, dla których nie chcesz, żebym poszedł. Zapiszę je. No wiesz, tak jak robiliśmy w zeszłym tygodniu.

Przedstawiłem mu długą listę. Powiedziałem, że martwi mnie, że dwóch piętnastoletnich chłopców będzie stało w nocy samotnie na przystanku autobusowym. Martwi mnie, że na koncertach krąży tyle narkotyków. Martwią mnie rabusie i kieszonkowcy, którzy szukają łatwego łupu. Martwią mnie obrażenia, które można odnieść w czasie zabawy polegającej na tym, że niektóre dzieciaki rzucają się ze sceny, a inne dzieciaki je łapią. Albo i nie. I budzą mój sprzeciw słowa piosenek pełne nienawiści, w których poniża się kobiety, policję, gejów i mniejszości.

Kiedy skończyłem, spojrzał na swoje notatki i odniósł się bezpośrednio do każdego z moich zastrzeżeń.

Powiedział, że postarają się z Keithem stać na przystanku autobusowym razem z innymi ludźmi; że będzie trzymał portfel w wewnętrznej kieszeni kurtki, a kurtkę zapnie; że jego i kolegów nie obchodzą narkotyki; że nie wie, czy będą się rzucać ze sceny, ale jeśli będą, to on będzie tylko patrzył; i że przecież nie jest ograniczony umysłowo i przez jakieś głupie słowa w piosence nie stanie się fanatykiem.

To dojrzałe podejście zrobiło na mnie takie wrażenie, że zgodziłem się, żeby poszedł – pod pewnymi warunkami: chłopcy nie pojadą autobusem, ale razem z matką odwieziemy ich do miasta, w czasie koncertu pójdziemy do kina, a potem ich odbierzemy.

– Jeśli ten plan ci odpowiada – powiedziałem – to musisz tylko zadzwonić do kasy i dowiedzieć się, o której skończy się koncert.

Podziękował mi. A ja z kolei podziękowałem jemu za to, że poważnie potraktował moje zastrzeżenia. Dodałem, że dzięki rozmowie przeprowadzonej w taki sposób łatwiej mi było dokładnie przemyśleć całą sprawę.

JOAN: Są pewne problemy, których nie da się załatwić metodą rozwiązywania problemu. Czasami konieczna jest profesjonalna pomoc.

Początkowo myślałam, że Rachel schudła przez te wszystkie ćwiczenia, które ostatnio wykonywała. Ale nie mogłam zrozumieć, dlaczego cały czas jest zmęczona i dlaczego nie ma apetytu. Obojętnie, co ugotowałam – nawet jeśli były to jej ulubione dania – wzięła jeden albo dwa kęsy, resztę rozpaćkała po talerzu, a kiedy nalegałam, żeby zjadła więcej, odpowiadała:

– Ale ja naprawdę nie jestem głodna.

Albo:

– I tak jestem za gruba.

Pewnego ranka natknęłam się na nią przypadkiem, kiedy wychodziła spod prysznica, i nie mogłam uwierzyć własnym oczom. Jej ciało było wychudzone. Sama skóra i kości.

Zupełnie wytrąciło mnie to z równowagi. Nie wiedziałam, czy to jest problem tego rodzaju, że wystarczy siąść razem i znaleźć rozwiązanie, ale musiałam spróbować. Pierwszy krok – potwierdzenie jej uczuć – okazał się niewypałem. Powiedziałam:

– Kochanie, wiem, że ostatnio się ciebie czepiałam, że nie jesz, wiem, że to cię może denerwować, i rozumiem, dlaczego...

Nie dała mi wypowiedzieć następnego słowa.

– Nie chcę o tym rozmawiać! – krzyczała. – To nie twoje zmartwienie! To moje ciało! To tylko moja sprawa, co jem!

Poszła do swojego pokoju i trzasnęła drzwiami.

Niezwłocznie zadzwoniłam do naszego lekarza rodzinnego. Powiedziałam mu, o co chodzi, a on nalegał, abym przywiozła Rachel na badanie kontrolne. Gdy w końcu wyszła ze swojego pokoju, oznajmiłam:

– Rachel, wiem, że według ciebie to nie moje zmartwienie, ile jesz. Ale nic na to nie poradzę, że się martwię. Jesteś moją córką, kocham cię i chcę ci pomóc, ale nie wiem jak i dlatego umówiłam się z lekarzem.

No i dała mi popalić. („Nie potrzebuję pomocy! To ty masz problem, a nie ja"). Ale nie dawałam za wygraną. I kiedy w końcu znalazłyśmy się u lekarza, potwierdził moje najgorsze obawy. Rachel miała zaburzenie związane z jedzeniem. Schudła ponad pięć kilogramów, już dwa razy nie miała miesiączki, a ciśnienie krwi było bardzo niskie. Lekarz niczego przed nią nie krył. Powiedział jej, że ma problem ze zdrowiem, który może być bardzo poważny i który wymaga podjęcia niezwłocznych działań, że dobrze, iż tak wcześnie został wykryty, i że skieruje ją na specjalny program terapii. Kiedy zapytała, co to za program, wyjaśnił, że to metoda pracy zespołowej – połączenie konsultacji indywidualnych, grupowych i dożywiania.

Rachel wydawała się tym wszystkim przytłoczona. Lekarz uśmiechnął się do niej i wziął ją za rękę.

– Rachel, znam cię, odkąd byłaś małą dziewczynką – powiedział. – Jesteś dzielna. Mam do ciebie zaufanie. Kiedy zaczniesz ten program, na pewno zrobisz wszystko, aby ci pomógł.

Nie wiem, czy Rachel była w stanie zrozumieć, co powiedział, ale byłam wdzięczna za te słowa i poczułam ulgę. Nie musiałam mierzyć się z tym samotnie. Znalazłam pomoc.

Szybkie przypomnienie...

Wspólne rozwiązywanie problemu

MATKA: Już drugi raz przychodzisz po czasie!
                  Nie ma mowy, żebyś gdzieś wyszła
                  w następną sobotę. Masz szlaban na
                  cały weekend.

Zamiast tego:

KROK 1.
POPROŚ SWOJĄ NASTOLETNIĄ CÓRKĘ,
ABY PRZEDSTAWIŁA SWÓJ PUNKT WIDZENIA.

MATKA: Widzę, że z jakiegoś powodu masz
                  trudności z przychodzeniem na czas.
NASTOLATKA: Tylko ja jedna muszę być w domu
                  o dziesiątej. Zawsze muszę wycho-
                  dzić, kiedy wszyscy się dobrze bawią.

KROK 2.
PRZEDSTAW SWÓJ PUNKT WIDZENIA.

MATKA: Kiedy umawiamy się, że wrócisz do
                  domu o określonej godzinie, a ciebie
                  nie ma, denerwuję się. Moja wyobraź-
                  nia pracuje na najwyższych obrotach.

KROK 3.
ZAPROŚ SWOJE NASTOLETNIE DZIECKO
DO WSPÓLNEJ BURZY MÓZGÓW.

MATKA: Może zastanowimy się nad jakimiś pomysłami, dzięki którym mogłabyś trochę dłużej być z przyjaciółmi, a ja byłabym spokojna.

KROK 4.
ZAPISZ WSZYSTKIE POMYSŁY – NIE OCENIAJĄC ICH.

1. Pozwól mi zostać poza domem tak długo, jak chcę, i nie czekaj na mnie. (nastolatka)
2. Nie pozwolę ci nigdzie wychodzić, dopóki nie wyjdziesz za mąż. (matka)
3. Przesuńmy godzinę powrotu na jedenastą. (nastolatka)
4. Przesuńmy godzinę powrotu na dziesiątą trzydzieści – na jakiś czas. (matka)

KROK 5.
PRZEJRZYJCIE LISTĘ I ZADECYDUJCIE, KTÓRE
POMYSŁY CHCECIE WPROWADZIĆ W ŻYCIE.

NASTOLATKA: Dziesiąta trzydzieści może być. Ale dlaczego „na jakiś czas"?
MATKA: Możemy to zmienić na stałe. Musisz tylko udowodnić, że od tej pory jesteś w stanie wrócić na czas.
NASTOLATKA: Umowa stoi.

5 Spotkanie z dziećmi

Chciałam spotkać się z dziećmi.

Znałam je ze słyszenia, rozmawiałam o nich, rozmyślałam o nich, a teraz chciałam poznać je osobiście. Zapytałam rodziców, co sądzą o tym, abym przeprowadziła kilka zajęć z ich dziećmi – pierwsze, by się zapoznać, drugie, by nauczyć ich podstawowych zasad porozumiewania się, a trzecie spotkanie planowałam wspólne dla nas wszystkich.

Reakcja była natychmiastowa: „Byłoby wspaniale!", „Doskonały pomysł!", „Nie wiem, czy uda mi się nakłonić ją do przyjścia, ale zrobię, co w mojej mocy", „Proszę tylko powiedzieć, kiedy. Na pewno przyjdzie".

Ustaliliśmy trzy terminy.

———

Patrząc, jak młodzież wchodzi do klasy, od razu zaczęłam dopasowywać dzieci do rodziców i próbowałam zgadywać, kto do kogo przynależy. Czy ten wysoki, chudy chłopak był synem Tony'ego – Paulem? Wydawał się trochę podobny do Tony'ego. Czy dziewczyna z przyjaznym uśmiechem to córka Laury –

Kelly? Ale zaraz pomyślałam: „Nie rób tego. Musisz widzieć tych młodych ludzi jako odrębne indywidualności, a nie szukać w nich cech matek i ojców".

Kiedy wszyscy zajęli miejsca, powiedziałam:

– Zapewne rodzice już wam mówili, że uczę metod porozumiewania się, które mogą pomóc ludziom w różnym wieku lepiej się ze sobą dogadywać. Ale jak dobrze wiecie, lepsze dogadywanie się nie zawsze jest łatwe. Oznacza ono, że musimy umieć nawzajem się wysłuchać i przynajmniej uczynić pewien wysiłek, aby zrozumieć punkt widzenia drugiej osoby.

Z pewnością rodzice rozumieją własny punkt widzenia. Ale sądzę, że wielu z nich – łącznie ze mną – umyka pełniejsze zrozumienie punktu widzenia młodszego pokolenia. I tutaj zaczyna się wasza rola. Mam nadzieję, że uda mi się dzisiaj lepiej pojąć to, w co wierzycie i co według was jest prawdziwe – zarówno dla was, jak i dla waszych przyjaciół.

Chłopak, który wyglądał jak Tony, uśmiechnął się szeroko.

– To co chce pani wiedzieć? Proszę zapytać mnie. Jestem ekspertem.

– Jasne – żachnął się inny chłopak. – Ciekawe od czego?

– Wkrótce się dowiemy – powiedziałam, rozdając kartki z pytaniami, które przygotowałam. – Przejrzyjcie to, proszę, i zobaczcie, na co możecie bez problemu odpowiedzieć, a potem porozmawiamy.

Ktoś podniósł rękę.

– Słucham?

– Kto będzie widział to, co napiszemy?

– Tylko ja. Nie musicie pisać na kartce swojego nazwiska. Nikt nie będzie wiedział, kto co napisał. Zależy mi wyłącznie na tym, aby odpowiedzi były szczere.

Nie miałam pewności, czy będą chcieli pisać po wielu godzinach spędzonych w szkole, ale wzięli się do pracy. Zastanawiali się nad kolejnymi pytaniami, patrzyli w okno, pochylali nad kartkami i pisali szybko i z ochotą. Gdy wszyscy skończyli, razem przejrzeliśmy listę pytań i dyskutowaliśmy na ich temat. Większość młodych ludzi czytała na głos swoje odpowiedzi, inni spontanicznie dodawali własne przemyślenia, kilkoro słuchało w milczeniu i wolało oddać mi odpowiedzi na piśmie. Oto najważniejsze sprawy, które poruszyli.

Co twoim zdaniem ludzie mają na myśli, kiedy mówią na przykład tak: „Och, to przecież nastolatek"?
„Że jesteśmy niedojrzali, że wszyscy jesteśmy upierdliwymi bachorami i zakałami. Nie zgadzam się z tym. Każdy może się w ten sposób zachowywać, obojętnie, ile ma lat".
„Że wszystkie nastolatki sprawiają kłopot. To jest złe. To nas poniża. Przecież wszystkie nastolatki nie są takie same. Każdy z nas jest inny".
„Ciągle powtarzają:»Powinieneś to wiedzieć« albo »Zachowuj się tak, jak należy w twoim wieku«. Ale przecież tak się właśnie zachowujemy".
„To poniżające i obraźliwe, że dorośli mają tak niskie mniemanie o naszych możliwościach".
„Myślą, że nas znają. Mówią:»Mieliśmy takie same problemy, kiedy byliśmy młodzi«. Ale nie zdają sobie sprawy, że czasy się zmieniły i problemy się zmieniły".

Co według ciebie jest najlepsze w byciu nastolatkiem – zarówno dla ciebie, jak i dla twoich przyjaciół?
„To, że masz więcej przywilejów. Mniej zakazów i ograniczeń".
„Dobra zabawa i robienie tego, na co masz ochotę".

„To, że można chodzić z chłopakami".
„Późniejsze wracanie do domu w weekendy i chodzenie do centrów handlowych z przyjaciółmi".
„Cieszenie się życiem bez tych obowiązków, które na pewno będę mieć później".
„Zbliżanie się momentu, kiedy dostanę prawo jazdy".
„Mamy wolność eksperymentowania, ale także bezpieczeństwo i miłość rodziny, do której możemy się zwrócić, kiedy coś nam nie wyjdzie".

Wymień przykładowe rzeczy, którymi martwi się młodzież w twoim wieku.
„To, że nie pasuję do innych".
„To, że nie jest się akceptowanym towarzysko".
„Utrata przyjaciół".
„Dzieciaki zamartwiają się tym, co inni o nich myślą".
„Martwimy się swoim wyglądem – ciuchami, włosami, butami, markowymi naszywkami".
„Dziewczyny muszą być chude i ładne, a chłopcy muszą być na luzie i wysportowani".
„Martwimy się osiągnięciami w nauce oraz tym, że codziennie mamy górę lekcji do odrobienia i musimy zaliczyć wszystkie przedmioty".
„Naszą przyszłością i dobrymi ocenami".
„Martwię się narkotykami i przemocą, i atakami terrorystycznymi, i takimi sprawami".
„Martwię się, że ktoś może urządzić w szkole strzelaninę i że zabije dużo ludzi. Tak łatwo jest zdobyć broń".
„Nastolatki mają dużo stresów. Może więcej niż ich rodzice. Oni mogą do nas mówić, co tylko chcą, ale my absolutnie nie możemy powiedzieć im tego, co chcemy".

Czy coś, co robią lub mówią twoi rodzice, jest dla ciebie pomocne?

„Moi rodzice dyskutują ze mną o różnych sprawach i staramy się wymyślić rozwiązanie".

„Moja mama wie, kiedy jestem w złym nastroju, i zostawia mnie w spokoju".

„Moja mama zawsze mi mówi, że ładnie wyglądam – nawet jeśli tak nie jest".

„Mój tata pomaga mi, jeśli nie rozumiem zadania domowego".

„Kiedyś tata opowiedział mi, w jakie wpadł kłopoty, kiedy był dzieckiem. Dzięki temu czuję się lepiej, kiedy sam mam kłopoty".

„Moja matka mówi mi, co mam odpowiadać ludziom, którzy chcą, żebym spróbowała narkotyków".

„Moi rodzice zawsze mi mówią: »Musisz mieć w życiu jakiś cel. Jeśli go masz, to nie zboczysz z obranej drogi«".

Czy twoi rodzice robią lub mówią coś, co ci się nie podoba?

„Zwalają na mnie winę za różne rzeczy, a nie mają racji. Poza tym kiedy mówię im o czymś, co mnie złości, mówią: »Uspokój się« albo »Nie przejmuj się tym«. To mnie naprawdę wkurza".

„Nie cierpię, kiedy mi mówią, że moja postawa jest niewłaściwa. Przecież żadne dziecko nie przychodzi na świat z niewłaściwą postawą. Nikt nie jest taki w środku. Czasami to jest wina rodziców. Mogą nam dawać zły przykład".

„Rodzice krytykują mój system nauki, a to jest niesprawiedliwe, bo dobrze sobie radzę w szkole".

„Nie cierpię, kiedy rodzice na mnie krzyczą".

„Moi rodzice za dużo pracują. Nigdy nie ma czasu, żeby z nimi porozmawiać. O takich codziennych sprawach".

„Rodzice nie powinni cały czas krytykować i poprawiać swoich dzieci. Mój brat był tak wychowywany. A teraz ma problem z przełożonymi. Rzuca każdą pracę, bo nie może sobie poradzić z szefem. Ja też taki jestem. Nie umiem słuchać słów krytyki. Nie znoszę krytyki".

Gdybyś mógł udzielić rady rodzicom, to jak ona by brzmiała?

„Nie mówcie:»Możesz nam wszystko powiedzieć«, skoro panikujecie i prawicie nam kazania, gdy to robimy".

„Nie mówcie:»Czy jeszcze rozmawiasz przez telefon?« albo »Znowu jesz?«, skoro widzicie, co robimy".

„Nie mówcie nam, że nie mamy czegoś robić, jeśli sami to robicie, na przykład pijecie i palicie papierosy".

„Jeśli wracacie do domu w złym nastroju, to nie zwalajcie na nas swoich problemów ani nie zrzucajcie na nas winy za zły dzień".

„Rodzice powinni być mili nie tylko poza domem, zamiast w domu obrzucać nas wyzwiskami i bić, i traktować bez szacunku. Powodem tego, że dzieci są złe, może być to, co widzą w domu. Dlatego nawet jeśli rodzice są zdenerwowani i chcą powiedzieć coś przykrego, powinni z całych sił się powstrzymywać".

„Rodzice powinni w nas wierzyć. Nawet jeśli zrobimy coś źle, to nie znaczy, że jesteśmy złymi ludźmi".

„Nie krytykujcie naszych przyjaciół. Wcale ich nie znacie".

„Nie wpędzajcie nas w poczucie winy, jeśli bardziej lubimy przebywać z przyjaciółmi niż z własną rodziną".

„Jeśli chcecie, żeby dzieci mówiły wam prawdę, to nie karzcie ich za każdą najmniejszą rzecz".

„Mimo że wasze dzieci już wyrosły, mówcie im, że je kochacie".

„Jeśli istnieje jakiś sposób, żeby pozwolić dzieciom na doświadczenia życiowe, a jednocześnie uchronić przed niebezpieczeństwem, to znajdźcie ten sposób i postępujcie według niego, ponieważ właśnie tego potrzebujemy".

Gdybyś mógł udzielić rady innym nastolatkom, to jak ona by brzmiała?
„Nie róbcie głupot, takich jak branie narkotyków, tylko po to, żeby inni was lubili".
„Bądźcie mili dla wszystkich, nawet dla dzieciaków, które nie są popularne".
„Nie dołączajcie się, kiedy inni komuś dokuczają".
„Nie róbcie przykrości innym dzieciakom, rozsyłając o nich mailem podłe wiadomości".
„Pielęgnujcie prawdziwe, dobre przyjaźnie. Potem kiedy będzie ciężko w życiu i nie będziecie mieli nikogo, przyjaciele wam pomogą".
„Jeśli chcecie, żeby rodzice pozwolili wam wracać później do domu, przychodźcie na czas".
„Jeśli twój chłopak mówi, że cię rzuci, bo nie chcesz z nim uprawiać seksu, to powinnaś sama go rzucić".
„Nie myślcie, że można raz na jakiś czas wypalić kilka papierosów i tyle. Moja przyjaciółka zaczęła w ten sposób, a teraz wypala paczkę dziennie".
„Jeśli pijecie albo bierzecie prochy, to miejcie świadomość, że możecie zrujnować sobie zdrowie i przyszłość. Niektóre dzieciaki mówią: »I co z tego? To moje ciało i mogę z nim robić, co mi się podoba«. Ale się mylą. Wyrządzą krzywdę nie tylko sobie. Wszyscy ludzie, którzy ich kochają, będą zawiedzeni i rozczarowani".

Czy chciałbyś, żeby coś się zmieniło w twoim życiu – w domu, w szkole, w kontaktach z przyjaciółmi?

„Chciałbym, aby rodzice uświadomili sobie, że nie jestem już dzieckiem, i na więcej mi pozwalali, na przykład na wypady do miasta z przyjaciółmi".

„Chciałbym, żeby nauczyciele mniej zadawali do domu. Wszyscy się tak zachowują, jakby ich przedmiot był jedyny w szkole. Musimy siedzieć do późna, żeby wszystko zrobić. Nic dziwnego, że na lekcjach jesteśmy zmęczeni".

„Chciałabym, żeby mój plan dnia nie był tak zapchany nauką i lekcjami muzyki i żebym miała więcej czasu na spotkania z przyjaciółmi".

„Chciałabym, żeby ludzie nie zachowywali się tak, że kiedy się z nami spotykają, są mili, a za plecami nas obgadują".

„Chciałabym, żeby wszystkie moje przyjaciółki się ze sobą zgadzały i żeby nie zmuszały mnie do stawania po którejś stronie".

„Chciałabym, żeby ludzie nie oceniali nas po wyglądzie ani po ciuchach. To dlatego lubię siedzieć w sieci. Tam, nawet jeśli ktoś wygląda dziwacznie albo jest brzydki, nie ma to żadnego znaczenia".

„Chciałabym, żeby dziewczyny nie kłóciły się o głupoty, na przykład:»Widziałam cię z moim chłopakiem«. Kłótnie niczego nie rozwiązują. Zyskasz tylko tyle, że w końcu cię zawieszą, a wtedy nie minie cię kara od rodziców".

„Chciałbym, żeby rodzice nie wywierali takiej presji, że dzieci mają być doskonałe. Chodzi o to, że życie jest tylko jedno, więc dlaczego nie mamy trochę odpuścić i nacieszyć się tym, że jesteśmy młodzi? Dlaczego przez cały czas mamy się o coś starać? Tak, mamy swoje cele i marzenia, ale czy nie możemy ich osiągnąć bez tych wszystkich stresów?"

Kiedy padły odpowiedzi na ostatnie pytanie, wszyscy patrzyli na mnie wyczekująco.

– Wiecie, czego ja bym chciała? – spytałam. – Chciałabym, aby wszyscy rodzice i nastolatki na całym świecie mogli usłyszeć to, co mieliście do powiedzenia tego popołudnia. Myślę, że nasunęłoby im to wiele ważnych refleksji, które mogłyby się okazać dla nich bardzo pomocne.

Młodzieży spodobały się moje słowa.

– Zanim wyjdziemy – poprosiłam – mam jeszcze jedno pytanie: czy jest coś, o czym nie rozmawialiśmy, a o czym powinni się dowiedzieć rodzice?

Jedna ręka podniosła się nieco, następnie cofnęła i znowu podniosła. To był chłopak podobny do Tony'ego.

– Tak, proszę im powiedzieć, że czasami krzyczymy i mówimy rzeczy, które ich martwią. Ale nie powinni tego brać do siebie. Najczęściej w ogóle tak nie myślimy.

– No właśnie – powiedziała dziewczyna, która z uśmiechu przypominała Laurę. – I proszę im powiedzieć, żeby się nie wściekali, jeśli nie sprzątniemy naszego pokoju albo w czymś nie pomożemy. To nie dlatego, że jesteśmy tacy rozpaskudzeni. Czasami jesteśmy przemęczeni albo coś innego mamy w głowie, albo musimy porozmawiać z przyjaciółmi.

Dołączyła się jeszcze jedna dziewczyna:

– I niech pani zapyta rodziców, czy podobałoby im się, gdybyśmy to my mówili do nich, ledwo wejdą do domu: „Znowu zostawiłaś po sobie brudne naczynia w zlewie!" albo „Chcę, żebyś natychmiast ugotowała obiad!", albo „Żadnej telewizji, dopóki nie zapłacisz wszystkich rachunków!".

Wszyscy się roześmiali.

– Prawdę mówiąc – dodała dziewczyna – moja matka już tyle nie krzyczy, odkąd zaczęła chodzić na pani zajęcia. Nie wiem, czego się tutaj uczy, ale nie wpada już tak często w wojowniczy nastrój.

– Twoja matka i inni rodzice uczą się tutaj – odparłam – tych samych metod porozumiewania się, z którymi pragnę was zapoznać w przyszłym tygodniu. Przeanalizujemy pomysły, które pomogą wam lepiej sobie radzić we wszelkich kontaktach z ludźmi.

– Wszelkich? – zapytała jedna z dziewcząt. – To znaczy, że również z przyjaciółmi?

– Z przyjaciółmi także – zapewniłam ją.

Jednak zadała to pytanie w taki sposób, że musiałam się chwilę zastanowić. Podczas następnych zajęć nie zamierzałam koncentrować się na kontaktach z rówieśnikami, ale nagle przyszło mi do głowy, że może powinnam. Może powinnam skorzystać z tego, co podpowiadała mi młodzież. Słysząc dzisiaj ich rozliczne wypowiedzi o tym, jak ważne są dla nich przyjaźnie, utwierdziłam się w przekonaniu, jak wiele uczuć nastolatki inwestują w kontakty z rówieśnikami.

– Co byście powiedzieli na to – zapytałam grupę – gdybyśmy na następnych zajęciach przypatrzyli się, w jaki sposób można zastosować te metody komunikowania się w kontaktach z waszymi koleżankami i kolegami?

Z początku nie było reakcji. Dzieci spoglądały wzajemnie na siebie, potem znowu na mnie. W końcu ktoś powiedział:

– Fajnie.

Pozostali skinęli przyzwalająco głowami.

– A zatem tym się zajmiemy – oświadczyłam. – Do zobaczenia za tydzień.

6 O uczuciach, przyjaciołach i rodzinie

- Rusz dupę, debilu!
- Zamknij papę, nędzny śmieciu!

Takie słowa uderzały we mnie, kiedy przeciskałam się obok grupek nastolatków, kotłujących się przy szafkach po zakończeniu lekcji. Pani pedagog szkolna spieszyła do mnie korytarzem.

- Tak się cieszę, że pani przyszła! – zawołała. – Dzisiaj macie spotkanie w trzysta siedem. Proszę się nie martwić, poinformowałam wszystkie dzieci o tej zmianie.

Podziękowałam jej i ruszyłam szybkim krokiem po schodach, starając się ustępować przed falą rozpędzonej, przepychającej się młodzieży, która zbiegała na dół.

- Au, patrz, gdzie leziesz, śmieciu.
- Uważaj, niedorajdo.
- Hej, dupku, poczekaj na mnie!

Co się dzieje? Czy w taki sposób rozmawiają dzisiaj ze sobą nastolatki?

Kiedy dotarłam do sali 307, większość młodzieży czekała już przed klasą. Zaprosiłam ich gestem do środka, a gdy zajmowali miejsca, powtórzyłam im to, co przed chwilą słyszałam.

– Powiedzcie mi – poprosiłam – czy to jest typowy sposób mówienia?

Roześmiali się z mojej naiwności.

– Czy to was nie martwi? – zapytałam.

– No przecież to takie żarciki. Każdy tak mówi.

– Nie każdy.

– Ale wiele dzieciaków.

Nie mogłam na tym poprzestać.

– Jak wiecie – powiedziałam – moja praca dotyczy związków między ludźmi. Staram się określić, w jaki sposób słowa, których używamy do komunikowania się, wpływają na to, jakie uczucia wobec siebie żywimy. Dlatego muszę was zapytać, zupełnie poważnie, czy naprawdę nie przeszkadza wam, że codziennie wstajecie i idziecie do szkoły, wiedząc, że prawdopodobnie ktoś was tam nazwie niedorajdą, śmieciem albo jeszcze gorzej?

Jeden z chłopaków wzruszył ramionami.

– Nie przeszkadza mi to.

– Mnie też nie – dołączył się ktoś.

Nie mogłam tego tak zostawić.

– A więc nikt z was nie ma zastrzeżeń do takiego sposobu mówienia?

Chwilowo zapanowało milczenie.

– Ja czasami mam – przyznała jedna z dziewcząt. – Ale wiem, że nie powinnam, bo wszyscy moi znajomi i ja też ciągle się jakoś przezywamy, to tak jakbyśmy cały czas sobie żartowali. No wie pani, taka zabawa. Ale jeśli nie zaliczysz sprawdzianu i ktoś cię nazwie debilem – raz mi się to zdarzyło – to nie jest miło. Tak samo nie było zabawnie, kiedy miałam źle obcięte włosy i moja przyjaciółka powiedziała, że wyglądam jak dziwoląg. Udawałam, że mnie to nie obeszło. Ale to było tylko tak na zewnątrz.

- Jak myślisz, co by się stało – zapytałam ją – gdybyś nie udawała, ale zamiast tego powiedziała swojej przyjaciółce, co naprawdę czujesz?

Potrząsnęła głową.

- To by nie było dobrze.
- Bo...?
- Bo wtedy cię poniżają albo naśmiewają się z ciebie.
- No tak – zgodziła się inna dziewczyna. – Myśleliby, że jest przewrażliwiona i stara się być inna albo lepsza, a wtedy już by nie chcieli się z nią przyjaźnić.

Wiele rąk wystrzeliło w górę. Młodzież miała dużo do powiedzenia.

- Ale to nie są prawdziwi przyjaciele. No bo jeśli musisz się zgrywać i udawać, że ci nie zależy, żeby się dopasować, to to jest do luftu.
- No tak, ale dużo jest takich, co zrobią wszystko, żeby ich zaakceptowano.
- No właśnie. Znam kogoś, kto zaczął pić i robił inne rzeczy tylko dlatego, że jego przyjaciele to robili.
- Ale to jest takie głupie, bo człowiek powinien mieć możliwość robienia tego, co uważa za dobre, i pozwolić innym na robienie tego, co chcą. Ja mówię: „Żyj i pozwól żyć!".
- No tak, ale w prawdziwym życiu tak nie jest. Przyjaciele mają na nas duży wpływ. I jeśli nie będziemy się z nimi zgadzać, to nas odtrącą.
- I co z tego? Komu potrzebni tacy przyjaciele? Myślę, że prawdziwy przyjaciel to ktoś, przy kim można być sobą, ktoś, kto nie próbuje nas zmieniać.
- Ktoś, kto nas wysłucha i kogo obchodzi, co czujemy.
- Ktoś, z kim możemy porozmawiać, kiedy mamy problem.

To, co powiedzieli uczniowie, bardzo mnie poruszyło. Przyjaźń miała dla nich takie znaczenie, że niektórzy byli gotowi wyrzec się cząstki samego siebie, aby przynależeć do grupy. A jednak wszyscy do pewnego stopnia wiedzieli, co nadaje sens przyjaźni i sprawia, że przynosi ona zadowolenie obu stronom.

– Musimy nadawać na tych samych falach – powiedziałam.

– Od naszego ostatniego spotkania wiele rozmyślałam o tym, w jaki sposób metody, których uczę dorosłych, mogą się sprawdzić w kontaktach między nastolatkami. Przed chwilą wyraźnie określiliście, że najbardziej cenicie w przyjacielu takie cechy, jak umiejętność słuchania, akceptacji i poszanowania tego, co macie do powiedzenia. W jaki sposób można wprowadzić tę ideę w życie?

Sięgnęłam do torby i wyjęłam materiały, które przygotowałam.

– Zobaczycie na kilku przykładach, jak jeden przyjaciel stara się coś przekazać drugiemu. Zobaczycie także różnicę między reakcją, która podkopuje przyjaźń, a taką, która daje pociechę i wsparcie. Przejrzyjmy razem te rysunki – poprosiłam, rozdając kartki grupie. – Czy ktoś z was chciałby odegrać te postaci?

Nie wahali się ani sekundy. Wszyscy chcieli je odegrać. Wybuchając raz po raz śmiechem, odczytywali swoje role z energią i dramatycznym zacięciem. Patrząc na ilustracje i słuchając głosów prawdziwych dzieci, czułam się tak, jakbym patrzyła na film animowany.

Kiedy ludzie są zmartwieni, wypytywanie i krytykowanie jeszcze pogarsza ich samopoczucie.

SŁUCHAJ, PRZYTAKUJĄC, WTRĄCAJĄC MRUKNIĘCIE LUB SŁOWO.

Czasami współczucie wyrażone jakimś pomrukiem, dźwiękiem czy jednym słowem może poprawić przyjaciółce nastrój i rozjaśnić myśli.

Kiedy przyjaciel ignoruje twoje uczucia, raczej nie masz ochoty kontynuować rozmowy.

WYRAŹ MYŚLI I UCZUCIA SŁOWAMI.

O wiele łatwiej jest rozmawiać z kimś, kto akceptuje twoje uczucia
i daje ci szansę na wyciągnięcie własnych wniosków.

Kiedy przyjaciółka lekceważy twoje marzenia i poniża cię tylko dlatego, że w ogóle je masz, możesz poczuć się upokorzona i sfrustrowana.

DAJ W WYOBRAŹNI TO, CZEGO NIE MOŻESZ DAĆ W RZECZYWISTOŚCI.

Łatwiej poradzić sobie z rzeczywistością, jeśli przyjaciółka potrafi dać nam w wyobraźni to, czego pragniemy.

– I co myślicie o tych przykładach? – zapytałam.

Dzieci zastanawiały się chwilę nad odpowiedzią.

– My tak nie rozmawiamy, ale może byłoby dobrze, gdybyśmy rozmawiali.

– Tak, bo w tych przykładach, które pokazują zły sposób, człowiek naprawdę czuje się jak śmieć.

– Ale nie wystarczy tylko mówić prawidłowe słowa. Trzeba tak myśleć, bo inaczej ludzie uznają, że się nieźle zgrywamy.

– W pewnym sensie wiele z nich nie brzmi naturalnie. To inny sposób rozmawiania. Ale może gdyby człowiek się do tego przyzwyczaił...

– Mogłabym się przyzwyczaić do słuchania tego. Ale nie wiem, czy przyzwyczaiłabym się do takiego mówienia, i nie wiem, co pomyśleliby moi przyjaciele, gdybym tak mówiła.

– Myślę, że to jest odlotowe. Chciałbym, żeby wszyscy rozmawiali ze sobą w ten sposób.

– Czy to znaczy, że również dzieci mogłyby mówić w ten sposób do rodziców? – zapytałam.

To ostudziło ich zapał.

– Na przykład kiedy? – rzucił ktoś.

– Na przykład kiedy wasza matka albo ojciec martwią się czymś.

Zaskoczenie widoczne na ich twarzach dowodziło, że był to dla nich nowy kierunek myślenia.

– Wyobraźcie sobie tylko – mówiłam dalej – że pewnego wieczoru matka albo ojciec wracają z pracy do domu wyczerpani i cały czas narzekają, że mieli zły dzień: na drogach był duży ruch, siadł komputer, szef bez przerwy krzyczał i wszyscy musieli zostać do późna, aby nadrobić stracony czas.

Moglibyście zareagować słowami: „Myślisz, że miałeś zły dzień. Ja miałem gorszy". Ale moglibyście też okazać zrozumienie, wypowiadając ze współczuciem „och" albo wyrażając słowami myśli i uczucia mamy czy taty, albo przedstawiając im w wyobraźni to, czego nie możecie dać w rzeczywistości. Młodzież była zaintrygowana tym wyzwaniem. Po chwili zaczęli zwracać się do wyimaginowanych rodziców:

- Mamo, wygląda na to, że miałaś ciężki dzień.
- To naprawdę utrapienie, jak komputer siądzie.
- Na pewno nie cierpisz, kiedy szef krzyczy.
- To nic zabawnego utknąć w korku.
- Pewnie chciałabyś pracować tak blisko, żeby chodzić piechotą.
- I nigdy więcej nie zostawać po godzinach!
- I żeby twój stary szef poszedł na emeryturę i przyszedł nowy, który nie będzie krzyczał.

Wszyscy uśmiechali się teraz do mnie szeroko, najwyraźniej zadowoleni z siebie.

- Wiecie co? - zaczęła jedna z dziewcząt. - Mam zamiar wypróbować to dzisiaj z moją matką. Ona zawsze narzeka na swoją pracę.

- A ja chcę to wypróbować na ojcu - powiedział jeden z chłopców. - Wiele razy wraca późno do domu i narzeka, że jest bardzo zmęczony.

- Przypuszczam - powiedziałam - że wasi rodzice docenią dziś wieczorem te starania. I nie zapomnijcie przyprowadzić rodziców na nasze ostatnie spotkanie w przyszłym tygodniu. Jestem ciekawa, co się stanie, kiedy wszyscy połączymy nasze wysiłki.

Szybkie przypomnienie...

Uczucia muszą być potwierdzone

DZIEWCZYNA: Briana jest taką snobką! Kiedy zobaczyła mnie na korytarzu, przeszła
sobie jakby nigdy nic. Mówi „cześć"
tylko tym, którzy są popularni.

PRZYJACIÓŁKA: Nie przejmuj się tym. Co ona cię
obchodzi?

Zamiast zaprzeczać uczuciom:

POTWIERDŹ UCZUCIA MRUKNIĘCIEM LUB SŁOWEM.
„Och".

OKREŚL UCZUCIA.
„Chociaż wiesz, jaką jest snobką, to i tak cię to wkurza. Nikt
nie lubi być lekceważony".

DAJ W WYOBRAŹNI TO, CZEGO NIE MOŻESZ DAĆ
W RZECZYWISTOŚCI.
„Fajnie by było, gdyby ktoś popularny w szkole zachował
się tak samo wobec Briany, prawda? Przeszedł koło niej,
jakby była powietrzem. A potem uśmiechnął się i na cały
głos powiedział»cześć« komuś innemu".

7 Rodzice
i nastolatki razem

Tego wieczoru wszyscy przeżywaliśmy nasz pierwszy raz. Gdy rodziny weszły do klasy i zajęły miejsca, wyczuwało się podskórne napięcie. Nikt nie miał pojęcia, czego się spodziewać. A już najmniej ja sama. Czy rodzice będą się czuli skrępowani obecnością nastoletnich dzieci? Czy młodzi ludzie będą sobą, wiedząc, że rodzice ich obserwują? Czy ja zdołam sprawić, aby oba pokolenia poczuły się swobodnie w swoim towarzystwie?

Po powitaniu zgromadzonych powiedziałam:

– Zebraliśmy się tu dziś, aby przyjrzeć się metodom rozmawiania i słuchania, które mogą być pomocne dla wszystkich członków rodziny. W pierwszej chwili nie wydaje się to trudnym zadaniem, ale czasem jednak jest – przede wszystkim z tej prostej przyczyny, że w żadnej rodzinie nie ma dwóch takich samych osób. Jesteśmy jedyni w swoim rodzaju. Mamy odmienne zainteresowania, różne temperamenty, różne gusty i inne potrzeby, które często są ze sobą w sprzeczności. Proszę spędzić trochę czasu w jakimkolwiek domu, a usłyszycie takie dialogi:

„Ale tu gorąco. Trzeba otworzyć okno".

„Nie! Nie otwieraj! Jest mi strasznie zimno!"

„Przycisz trochę muzykę. Jest za głośno!"
„Głośno? Ledwo słyszę".

„Pośpiesz się, bo się spóźnimy!"
„Wyluzuj. Mamy mnóstwo czasu".

– A gdy dzieci stają się nastolatkami, mogą się pojawić nowe
różnice. Rodzice pragną zapewnić dzieciom bezpieczeństwo,
ochronić przed wszystkimi zagrożeniami zewnętrznego świata.
Ale nastolatki mają w sobie ciekawość. Chcą mieć możliwość
badania zewnętrznego świata. Większość rodziców chce, aby ich
nastoletnie dzieci kierowały się i c h przekonaniami, oceniając,
co jest dobre, a co złe. Niektóre dzieci podważają te przekonania
i oceniając, co jest dobre, a co złe, wolą kierować się osądami
swoich przyjaciół. I jeśli sam ten fakt nie wystarczy już, aby
wzmóc napięcie w rodzinie, to dodajmy, że borykamy się jeszcze
z sytuacją, w której rodzice mają dziś więcej zajęć niż kiedykolwiek i żyją w większym stresie niż dawniej.

– Proszę to powtórzyć! – zawołał Tony.
Nastolatek siedzący obok Tony'ego wymamrotał:
– A nastolatki mają dziś więcej zajęć niż kiedykolwiek i żyją
w większym stresie niż dawniej.
Reszta młodzieży potwierdziła to zgodnym chórem.
Roześmiałam się.
– A więc nie jest dla was tajemnicą – mówiłam dalej – dlaczego ludzie z tej samej rodziny, którzy się wzajemnie kochają,
mogą się również nawzajem irytować, denerwować, a od czasu
do czasu doprowadzać do szału. No dobrze, ale co możemy zrobić
z tymi negatywnymi uczuciami? Czasami się rozładowują w nag-
łych wybuchach. Ja sama mówiłam do swoich dzieci: „Dlaczego
zawsze to robisz?", „Nigdy się nie nauczysz!", „Co jest z tobą nie

tak?". A moje dzieci mówiły do mnie: „To głupie!", „Jesteś taka niesprawiedliwa!", „Wszystkie matki na to pozwalają".
Obie strony uśmiechały się ze zrozumieniem.

– W pewnym sensie – kontynuowałam – mimo że te słowa płyną z naszych ust, to wszyscy i tak wiemy, że taki sposób mówienia tylko ludzi bardziej złości, zmusza ich do obrony, przez co nie są nawet w stanie rozważyć punktu widzenia drugiej osoby.

– I właśnie dlatego – westchnęła Joan – czasami tłumimy nasze uczucia i dla świętego spokoju nic nie mówimy.

– Czasami – przyznałam – decyzja, by nic nie mówić, nie jest wcale zła. Przynajmniej nie pogarszamy sprawy. Na szczęście milczenie nie jest naszym jedynym wyjściem. Jeśli stwierdzamy, że ktoś z rodziny zaczyna nas denerwować czy złościć, to musimy na chwilę przystopować, wziąć głęboki oddech i zadać sobie kluczowe pytanie: „W jaki sposób mogę wyrazić moje prawdziwe uczucia, aby druga osoba była w stanie mnie wysłuchać, a nawet rozważyć to, co mam do powiedzenia?". Wiem, że to, co proponuję, nie jest łatwe. To oznacza, że musimy podjąć świadomą decyzję, aby nie mówić nikomu, co jest złe w jego postępowaniu, ale aby mówić wyłącznie o sobie – co my czujemy, czego chcemy, co nam się nie podoba, a czego byśmy sobie życzyli.

Przerwałam na chwilę. Rodzice słyszeli już wiele razy moje wypowiedzi na ten temat, ale dla dzieci była to nowość. Kilkoro z nich patrzyło na mnie pytająco.

– Rozdam teraz kilka prostych ilustracji – powiedziałam – które pokażą wam, co mam na myśli. Według mnie przedstawiają one, jaką siłą dysponują zarówno rodzice, jak i nastolatki. Obie strony mogą albo zaostrzyć, albo załagodzić uczucia złości. Przejrzyjcie te ilustracje i powiedzcie mi, co myślicie.

Oto rysunki, które rozdałam grupie.

CZASAMI DZIECI POTRAFIĄ ROZZŁOŚCIĆ RODZICÓW.

Kiedy rodzice są sfrustrowani, czasami rzucają
pełne złości oskarżenia.

ZAMIAST OSKARŻAĆ, POWIEDZ, CO CZUJESZ I/LUB POWIEDZ, CZEGO BYŚ SOBIE ŻYCZYŁA.

Nastolatki wysłuchają nas z większą chęcią, jeśli powiemy im, co czujemy, zamiast mówić, że zachowują się niegrzecznie czy niewłaściwie.

CZASAMI RODZICE POTRAFIĄ ROZZŁOŚCIĆ DZIECI.

Kiedy obrażamy nastolatka, to czasami ulega pokusie,
by odpowiedzieć tym samym.

ZAMIAST KONTRATAKOWAĆ, POWIEDZ, CO CZUJESZ I/LUB CZEGO BYŚ SOBIE ŻYCZYŁ.

Rodzice chętniej was wysłuchają, jeśli powiecie im, co czujecie, zamiast mówić, co wam się w nich nie podoba.

Obserwowałam ich, gdy oglądali ilustracje. Po kilku minutach zapytałam:

– I co myślicie?

Pierwszy zabrał głos Paul, syn Tony'ego. (Tak, ten wysoki, chudy chłopak to był syn Tony'ego).

– To jest chyba w porządku – zaczął – ale kiedy jestem wściekły, to nie myślę, co powinienem powiedzieć, a czego nie. Po prostu się wydzieram.

– O tak – potwierdził Tony. – Jest taki jak ja. Najpierw działa, potem myśli.

– Rozumiem – odparłam. – Bardzo trudno jest myśleć czy mówić racjonalnie, kiedy ktoś jest wściekły. Gdy moje nastoletnie dzieci robiły coś, co doprowadzało mnie do furii, a zdarzało się to wiele razy, to krzyczałam: „W tej chwili jestem taka wściekła, że nie odpowiadam za swoje czyny i słowa! Lepiej trzymajcie się z dala ode mnie!". Uważałam, że to ich jakoś chroni, a mnie daje trochę czasu, żeby ochłonąć.

– A co potem? – zapytał Tony.

– Potem robiłam jedno okrążenie biegiem wokół bloku albo wyjmowałam odkurzacz i sprzątałam wszystkie podłogi – brałam się do jakiejkolwiek pracy fizycznej, która pozwalała mi być w ruchu. A co wam pomaga ochłonąć, kiedy jesteście bardzo, ale to bardzo rozzłoszczeni?

Kilka osób uśmiechnęło się z zażenowaniem. Pierwsze odpowiedziały dzieci:

„Zamykam z trzaskiem drzwi i włączam muzykę na cały regulator".

„Klnę pod nosem".

„Jadę na długą przejażdżkę rowerem".

„Walę w perkusję".

„Robię pompki aż do utraty tchu".
„Wszczynam kłótnię z bratem".

Wskazałam na rodziców:
- A wasze sposoby?

„Idę prosto do lodówki i zjadam cały kubełek lodów".
„Płaczę".
„Wydzieram się na wszystkich".
„Dzwonię do męża do pracy i mówię mu o wszystkim".
„Biorę dwie aspiryny".
„Piszę długi, podły list, a potem go drę".

- A teraz wyobraźmy sobie – powiedziałam – że zrobiliście już wszystko, co normalnie robicie, aby złagodzić złość, i że dacie radę wyrazić, co czujecie, w pomocny sposób. Jesteście w stanie to zrobić? Jesteście w stanie powiedzieć drugiej osobie, czego chcecie, co czujecie, jakie macie potrzeby, zamiast ją obwiniać albo oskarżać? Oczywiście, że jesteście w stanie. Ale wymaga to odrobiny namysłu, a bardzo pomocne jest wykonanie pewnych ćwiczeń. Na ilustracjach, które rozdałam, wykorzystałam przykłady z własnego domu. Teraz chciałabym was poprosić, abyście przypomnieli sobie jakieś sytuacje ze swojego domu, które was denerwują, irytują czy przygnębiają. Zanotujcie to, co wam przyjdzie do głowy.
Grupa wydawała się zaskoczona moją prośbą.
- To może być wielka sprawa lub jakiś drobiazg – dodałam.
- Coś, co się rzeczywiście wydarzyło, albo nawet coś, co według was może się dopiero zdarzyć.
Rodzice i dzieci popatrzyli na siebie z zakłopotaniem. Ktoś zachichotał, a po paru minutach wszyscy zaczęli pisać.

– Skoro już skupiliście się na problemie, to wypróbujmy dwa różne sposoby radzenia sobie z nim. Najpierw napiszcie, jakie słowa waszym zdaniem mogłyby jeszcze pogorszyć sprawę. – Zrobiłam chwilę przerwy, aby każdy miał czas na napisanie.

– I co można by powiedzieć, aby druga osoba była w stanie wysłuchać was i rozważyć wasz punkt widzenia.

W klasie zapanowała cisza. Wszyscy zmagali się z ćwiczeniem, które im zadałam. Gdy stwierdziłam, że są gotowi, powiedziałam:

– A teraz proszę, aby każdy wziął swoje notatki i znalazł rodzica lub dziecko, które do niego nie przynależy, i usiadł obok.

Po paru minutach ogólnego zamieszania – wśród odgłosów przesuwania krzeseł i okrzyków: „Jeszcze nie mam dziecka" i „Kto chce być moim rodzicem?" – w końcu wszyscy zajęli miejsca obok nowych partnerów.

– Teraz – powiedziałam – jesteśmy gotowi do kolejnego zadania. Proszę, aby wszyscy przeczytali sobie nawzajem te przeciwstawne wypowiedzi i zanotowali swoje reakcje. Potem o tym porozmawiamy.

Widziałam, że zabierali się do tego dość niepewnie. Dyskutowali, kto ma rozpocząć scenkę. Ale kiedy już decyzja zapadła, zarówno rodzice, jak i nastolatki odgrywali swoje nowe role z przekonaniem. Zaczynali cichym głosem, ale z czasem stawali się bardziej ożywieni i mówili głośniej. Udawana kłótnia między Michaelem a Paulem (synem Tony'ego) przyciągnęła uwagę wszystkich osób w klasie.

– Ale ty zawsze zostawiasz to na ostatnią minutę!

– Wcale nie! Już mówiłem, że zrobię to później.

– Kiedy?

– Po obiedzie.

– To za późno.

– Wcale nie.

- A właśnie że tak!
- Przestań mnie popędzać i daj mi spokój!

Nagle obaj urwali, uświadomiwszy sobie, że w klasie zrobiło się cicho, a spojrzenia wszystkich są zwrócone na nich.

- Próbuję nakłonić swoje dziecko, aby wcześniej zabierało się do lekcji – wyjaśnił Michael – ale daje mi w kość.
- To dlatego, że nie chce się ode mnie odczepić – powiedział Paul. – Nie rozumie, że im bardziej mnie zamęcza, żebym to zrobił, tym bardziej to odkładam.
- No dobrze, poddaję się – stwierdził Michael. – Teraz spróbuję innego sposobu. – Wziął głęboki oddech i powiedział: – Synu, tak się zastanawiam... Zmuszałem cię, żebyś wcześniej odrabiał lekcje, ponieważ wydaje mi się, że tak jest lepiej. Ale od dzisiaj zaufam ci i pozwolę, byś brał się do odrabiania lekcji o tej godzinie, którą sam uznasz za właściwą. Proszę tylko, żebyś zakończył pracę gdzieś o dziewiątej trzydzieści, a najdalej dziesiątej, abyś mógł się dobrze wyspać.

Paul posłał mu szeroki uśmiech.

- Hej, tato, tak było dużo lepiej! Podoba mi się to.
- No to poradziłem sobie – powiedział z dumą Michael.
- O tak – odparł Paul. – I zobaczysz, że ja też sobie poradzę. Odrobię lekcje. Nie będziesz musiał mi przypominać.

Wszyscy wydawali się bardzo ożywieni po tej prezentacji, której stali się świadkami. Kilka zespołów rodziców i dzieci zgłosiło się na ochotnika do przeczytania na głos swoich przeciwstawnych wypowiedzi. Wszyscy patrzyliśmy i słuchaliśmy z uwagą.

MATKA (*oskarżając*): „Dlaczego zawsze musisz wszczynać kłótnię, kiedy proszę cię, żebyś coś zrobił? Nigdy nie zaproponujesz, że mi pomożesz. Ciągle tylko słyszę: »Dlaczego ja? Dlaczego nie on? Nie mam czasu«".

MATKA (*opisując uczucia*): „Nie cierpię wdawać się w kłótnie, kiedy proszę cię o pomoc. Byłabym szczęśliwa, gdybym mogła usłyszeć:»Nie musisz powtarzać dwa razy, mamo. Już lecę!«".

NASTOLATKA (*oskarżając*): „Dlaczego nie przekazujesz mi wiadomości? Jessica i Amy powiedziały, że dzwoniły, a ty mi nie powiedziałaś. Przez to nie poszłam na mecz i to jest twoja wina!"

NASTOLATKA (*opisując uczucia*): „Mamo, to dla mnie bardzo ważne, żebyś mi przekazywała wszystkie wiadomości. Nie poszłam na mecz, bo zmienili termin, a jak się dowiedziałam, było już za późno".

MATKA (*oskarżając*): „Ciągle tylko słyszę:»Daj mi...«, »Kup mi...«,»Zawieź mnie tu, zawieź mnie tam...«. Nieważne, ile dla ciebie robię, i tak nigdy nie masz dość. A czy chociaż słyszę dziękuję? Nie!"

MATKA (*opisując uczucia*): „Chętnie ci pomagam, kiedy tylko mogę. Ale chciałabym usłyszeć chociaż jedno słowo podziękowania".

NASTOLATKA (*oskarżając*): „Dlaczego nie jesteś taka jak inne matki? Wszystkie moje koleżanki mogą same jeździć do centrum handlowego. Traktujesz mnie jak dziecko".

NASTOLATKA (*opisując uczucia*): „Nie cierpię siedzieć w domu w sobotę wieczorem, kiedy moje koleżanki świetnie się bawią w centrum handlowym. Uważam, że mam już tyle lat, że sama mogę się o siebie zatroszczyć".

Laura, która przysłuchiwała się ze szczególnym zainteresowaniem, kiedy jej własna córka czytała ostatnią wypowiedź, nagle wrzasnęła:

– O nie, Kelly Ann! Nic mnie nie obchodzi, co powiesz ani jak to powiesz. Nie pozwolę, żeby trzynastolatka sama jechała wieczorem do centrum handlowego. Musiałabym upaść na głowę, widząc, co się dzisiaj wyrabia na tym świecie.

Kelly zaczerwieniła się.

– Mamo, proszę – powiedziała błagalnie.

Dopiero po chwili domyśliliśmy się wszyscy, że to, co dla grupy było ćwiczeniem praktycznym, stanowiło najprawdziwszy i żywy konflikt między Laurą a jej córką.

– Przecież mam rację, prawda? – zapytała Laura. – Nawet jeśli jest z koleżankami, to są jeszcze dziećmi. Nie można pozwalać młodym dziewczętom, żeby wieczorem wałęsały się same po centrum handlowym, bo to zupełnie nieodpowiedzialne.

– Mamo, nikt się nie wałęsa – odparowała gorączkowo Kelly. – Chodzimy po sklepach. Poza tym to całkowicie bezpieczne. Przez cały czas kręcą się tam setki ludzi.

– No dobrze – wtrąciłam się. – Mamy tu dwa zupełnie przeciwstawne punkty wiedzenia. Jesteś przekonana, Lauro, że centrum handlowe nie jest wieczorem bezpiecznym miejscem dla nastolatki. Dostrzegasz wiele potencjalnych niebezpieczeństw. Kelly, według ciebie centrum handlowe jest całkowicie bezpieczne i uważasz, że mama powinna ci pozwolić na chodzenie tam z koleżankami. – Zwróciłam się do reszty grupy. – Czy mamy tu sytuację patową, czy też jesteśmy w stanie wymyślić coś, co zaspokoiłoby potrzeby zarówno Kelly, jak i jej matki?

Grupa nie zwlekała ani chwili. Wszyscy przystąpili do rozwiązywania tego problemu.

JEDNA Z MATEK (*do Laury*): Powiem ci, jak ja to załatwiam z moją córką. Zawożę ją i jej koleżanki do centrum i mówię, że mają dwie godziny. Ale musi do mnie zadzwonić po pierwszej godzinie, a potem znowu, kiedy chce, żeby ją odebrać. Wiem, że to dla niej zawracanie głowy, ale dzięki temu jestem spokojna.

NASTOLATKA (*do Laury*): Może pani dać Kelly komórkę. Będzie mogła do pani zadzwonić w razie potrzeby, a pani może ją w każdej chwili złapać.

KTOŚ Z RODZICÓW (*do Laury*): A gdyby pani podrzuciła tam dziewczęta? Może pani trochę z nimi zostać. Potem zrobi pani zakupy i spotka się z nimi o umówionej godzinie w określonym miejscu, żeby je zabrać do domu.

CHŁOPAK (*szesnaście lat, wysoki i przystojny, zwraca się do Kelly*): Jeśli chcesz iść z koleżankami do centrum handlowego, to czemu twoja mama nie może iść z wami?

KELLY: Chyba żartujesz?! Moje koleżanki by się wkurzyły.

LAURA: Dlaczego? Wszystkie twoje koleżanki mnie lubią.

KELLY: Nie ma mowy. To by było zbyt krępujące.

TEN SAM PRZYSTOJNY CHŁOPAK (*uśmiechając się do Kelly*): Przypuśćmy, że powiesz koleżankom, żeby to jakoś zniosły, chociaż raz czy dwa, żeby twoja mama mogła zobaczyć, co się dzieje – gdzie chodzicie, co robicie. Może wtedy się uspokoi.

KELLY (*pod jego urokiem*): Może. (*Patrzy pytająco na matkę*).

LAURA: Mogę tak zrobić.

Dialog, którego właśnie byłam świadkiem, zrobił na mnie duże wrażenie. Uderzyło mnie tak szybkie rozwiązanie konfliktu, ale jeszcze bardziej sposób, w jaki grupa zareagowała na tę patową sytuację między Laurą i Kelly. Nikt nie stanął po którejś ze stron. Wszyscy okazywali ogromny szacunek dla silnych emocji zarówno matki, jak i córki.

– Właśnie wszyscy mieliśmy lekcję pokazową – powiedziałam – radzenia sobie w bardzo cywilizowany sposób z różnicami, jakie między nami istnieją. Wydaje się, że musimy przezwyciężyć naturalną dla nas tendencję do udowadniania, że sami mamy rację, a ta druga strona jest w błędzie: „Mylisz się co do tego! Mylisz się co do tamtego!". Jak sądzicie, dlaczego wskazywanie, co jest właściwe, nie przychodzi nam w taki naturalny sposób? Dlaczego chwalenie nie przychodzi nam tak szybko jak krytykowanie?

Po krótkiej chwili popłynął strumień odpowiedzi:

– O wiele łatwiej jest wyszukiwać błędy. To nie wymaga żadnego wysiłku. Ale żeby powiedzieć coś miłego, trzeba się trochę zastanowić.

– To prawda. Na przykład wczoraj wieczorem mój syn przyciszył muzykę, kiedy zauważył, że rozmawiam przez telefon. Podobało mi się to zachowanie, ale nie zadałam sobie trudu, żeby mu podziękować za to, że był taki uprzejmy.

– Nie wiem, dlaczego mam chwalić dzieci za robienie tego, co powinny robić. Nikt mnie nie chwali za to, że co wieczór jest obiad na stole.

– Mój ojciec uważał, że nie należy chwalić dzieci. Nigdy mi nie mówił nic miłego, bo nie chciał, żeby mi woda sodowa uderzyła do głowy.

– Moja matka popadła w inną skrajność. Bez przerwy mówiła mi, jaka jestem wspaniała: „Jesteś taka ładna, taka mądra, taka zdolna". Nie uderzyła mi woda sodowa, bo i tak jej nie wierzyłam.

Do dyskusji włączyła się młodzież:

– No tak, ale nawet gdyby dziecko uwierzyło rodzicom i myślało, że jest takie wspaniałe, to chodząc do szkoły i widząc, jakie są inne dzieci, przeżyłoby potężny zawód.

– Sądzę, że rodzice i nauczyciele mówią takie słowa, jak np. wspaniale albo dobra robota, bo uważają, że to do nich należy. No wiecie, tak dla zachęty. Ale my uważamy, że to jest nieprawdziwe.

– A czasami dorośli nas chwalą, żeby nakłonić nas do zrobienia czegoś, co uważają za słuszne. Musielibyście słyszeć, co mówiła moja babcia, kiedy bardzo krótko obciąłem włosy. „Jeremy, jesteś nie do poznania. Wyglądasz tak przystojnie! Powinieneś zawsze tak strzyc włosy. Wyglądasz jak gwiazda filmowa!" Naprawdę.

– Myślę, że nie ma nic złego w komplementach, jeśli są szczere. Ja się czuję wspaniale, kiedy słyszę komplement.

– Ja też! Lubię, kiedy rodzice mówią mi coś miłego na temat mojego wyglądu. Myślę, że tak naprawdę większość dzieci lubi jakieś drobne pochwały od czasu do czasu.

– Coś wam powiem, dzieciaki – powiedział Tony. – Większość rodziców też lubi drobne pochwały od czasu do czasu.

Rodzice zareagowali gorącym aplauzem.

– No dobrze – chciałam podsumować. – Przedstawiliście szeroką gamę uczuć dotyczących pochwał. Niektórzy z was lubią pochwały i chcieliby je częściej słyszeć. Dla innych pochwała jest krępująca. Uważacie, że pochwała jest albo nieszczera, albo ma na celu manipulację.

Czy ta różnica w waszym spojrzeniu może mieć jakiś związek z tym, w jaki sposób jesteście chwaleni? Uważam, że tak. Słowa takie, jak „jesteś najwspanialszy, najlepszy, taki uczciwy, mądry, wspaniałomyślny" wywołują w nas niepokój. Od razu przypominamy sobie sytuacje, kiedy nie byliśmy tacy wspaniali, uczciwi, mądrzy czy wspaniałomyślni.

Co możemy zrobić zamiast tego? Możemy opisywać. Możemy opisywać, co widzimy lub co czujemy. Możemy opisać starania danej osoby albo jej osiągnięcia. Im bardziej szczegółowo to zrobimy, tym lepiej.

Czy dostrzegacie różnicę między powiedzeniem: „Jesteś taki mądry!" a „Bardzo długo rozwiązywałeś to zadanie z algebry, ale nie przerwałeś pracy ani nie poddałeś się, aż znalazłeś rozwiązanie".

– No pewnie – zawołał Paul. – To, co powiedziała pani za drugim razem, brzmi zdecydowanie lepiej.

– A dlaczego brzmi lepiej? – zapytałam.

– Bo jak mi ktoś mówi, że jestem mądry, to sobie myślę: „Chciałbym być" albo „Próbuje mi kadzić". A za drugim razem myślę: „No tak, rzeczywiście jestem mądry! Wiem, jak wytrwale pracować, aż znajdę rozwiązanie".

– Zdaje się, że w taki właśnie sposób to działa – przyznałam. – Kiedy ktoś opisuje to, co robimy lub staramy się zrobić, to zwykle sami siebie zaczynamy bardziej doceniać. Na rysunkach, które teraz rozdam, zobaczycie przykłady rodziców i nastolatków otrzymujących pochwały – za pierwszym razem oceniającą, a za drugim – opisującą. Proszę, zwróćcie uwagę na to, jaka jest różnica w reakcjach ludzi na każdą z tych metod.

KIEDY CHWALISZ DZIECI,

ZAMIAST OCENIAĆ,

OPISZ, CO CZUJESZ.

Ta sama pochwała wyrażona w różny sposób może skłonić dzieci do wyciągnięcia zupełnie odmiennych wniosków na własny temat.

KIEDY CHWALISZ DZIECI,

ZAMIAST OCENIAĆ,

OPISZ, CO WIDZISZ.

Ocenianie wywołuje w dzieciach niepokój. Ale jeśli opiszesz
z uznaniem ich starania lub osiągnięcia, zawsze będzie to dobrze przyjęte.

KIEDY CHWALISZ RODZICÓW,

ZAMIAST OCENIAĆ,

OPISZ, CO CZUJESZ.

Ludzie mają skłonność do odrzucania pochwały, która ich ocenia.
Szczera, entuzjastyczna pochwała opisowa jest łatwiejsza do przyjęcia.

KIEDY CHWALISZ RODZICÓW,

ZAMIAST OCENIAĆ,

OPISZ, CO WIDZISZ.

Pochwały opisujące często sprawiają, że ludzie bardziej doceniają
własne możliwości.

Zauważyłam, że Michael kiwał głową, przeglądając ilustracje.

– Co o tym myślisz, Michael? – zapytałam.

– Myślę sobie, że do tej pory powiedziałbym, że lepsza jakakolwiek pochwała niż żadna. Mocno wierzę w to, że można się wspierać nawzajem chociażby takim gestem jak poklepanie po plecach. Ale teraz zaczynam dostrzegać, że są inne sposoby, żeby to osiągnąć.

– I to lepsze sposoby! – obwieściła Karen, podnosząc swój plik ilustracji. – Teraz rozumiem, dlaczego moje dzieci tak się denerwują, kiedy im mówię, że są wspaniałe albo fantastyczne. To je doprowadza do szału. Muszę to zapamiętać – opisuj, opisuj!

– Tak! – zawołał Paul z końca sali. – Skończmy z tymi przesadnymi słowami i mówmy, co nam się podoba w jakiejś osobie.

Nawiązałam do słów Paula.

– Tak właśnie zrobimy – powiedziałam. – Wróćcie, proszę, do swoich prawdziwych rodzin. Zastanówcie się przez chwilę, jaka jedna rzecz podoba wam się w mamie, tacie czy w waszym nastoletnim dziecku. Potem zapiszcie to, co wam przyjdzie do głowy. Co moglibyście powiedzieć, aby ta druga osoba dowiedziała się, co w niej podziwiacie czy cenicie?

Przez salę przebiegł nerwowy śmiech. Rodzice i dzieci mierzyli się wzrokiem, odwracali spojrzenie, po czym zabierali się do notowania. Gdy wszyscy skończyli, poprosiłam, aby zamienili się kartkami.

Patrzyłam w milczeniu, jak na twarze wypływa uśmiech, oczy wypełniają się łzami, a rodzice i dzieci wymieniają uściski. Dobiegły mnie urywki rozmów: „Nie wiedziałam, że to zauważyłeś...", „Dziękuję. Jestem naprawdę szczęśliwa...", „Cieszę się, że to pomogło...", „Ja też cię kocham".

Do klasy zajrzał woźny.

– Zaraz – przekazałam ruchem ust. Do grupy natomiast powiedziałam: – Moi drodzy, nasze ostatnie zajęcia dobiegły końca. Rozważaliśmy dzisiaj, jak możemy wyrazić uczucie złości wobec drugiej osoby w sposób, który będzie raczej pomocny, a nie krzywdzący. Zastanawialiśmy się również, w jaki sposób można przekazać drugiej osobie swoje uznanie, tak aby każdy członek rodziny czuł się zauważony i doceniony. Mówiąc o uznaniu, chciałabym, żebyście wiedzieli, jak wielką przyjemnością była dla mnie praca z wami przez te wszystkie tygodnie: wasze komentarze, refleksje, sugestie, wasza ogromna chęć zgłębiania nowych pomysłów i podejmowania ryzyka wprowadzenia ich w życie. Dzięki temu spotkania z wami były dla mnie doświadczeniem, które dało mi ogromną satysfakcję.

Wszyscy przyklasnęli moim słowom. Myślałam, że zaczną teraz wychodzić. Tak się jednak nie stało. Stali w grupkach, rozmawiając ze sobą, a potem rodziny ustawiły się w kolejce, aby osobiście się ze mną pożegnać. Chcieli mi przekazać, że ten wieczór był dla nich ważny. Bardzo znaczący. Zarówno dzieci, jak i rodzice wymieniali ze mną uścisk dłoni i dziękowali.

Gdy wszyscy odeszli, stałam zatopiona w myślach. Niemal wszystkie przekazy w mediach malują dziś obraz rodziców i nastolatków walczących ze sobą. A tymczasem tego wieczoru byłam świadkiem działania zupełnie innych sił. Partnerstwo rodziców i dzieci. Oba pokolenia chętne do uczenia się i stosowania innych metod. Oba pokolenia z zadowoleniem przyjmujące możliwość podjęcia dialogu. Szczęśliwe, że mogą do siebie trafić.

Drzwi się otworzyły.

– O, jak to dobrze, że pani jeszcze nie wyszła!

To były Laura i Karen.

– Czy sądzi pani, że moglibyśmy zorganizować w następną środę jeszcze jedno spotkanie – tylko dla rodziców?

Zawahałam się. Nie planowałam kolejnych zajęć.

– Widzi pani, rozmawialiśmy na parkingu o różnych rzeczach, które dzieją się z dziećmi, ale o których nie chcieliśmy dzisiaj przy nich rozmawiać.

– Nie musi się pani przejmować powiadamianiem wszystkich. My się tym zajmiemy.

– Wiemy, że to trochę późno, a niektórzy powiedzieli, że nie przyjdą, ale to jest naprawdę ważne.

– I co? Czy to pani pasuje? Wiemy, jaka jest pani zajęta, ale jeśli znalazłaby pani czas...

Patrzyłam na ich zaniepokojone twarze i w myślach wprowadzałam poprawki do mojego harmonogramu.

– Znajdę czas – odparłam.

Szybkie przypomnienie...

Wyrażanie złości

DO NASTOLATKA
Zamiast oskarżać lub obrażać:
„Kto ma taki dziurawy łeb, że wyszedł z domu i nie zamknął drzwi na klucz?!"

POWIEDZ, CO CZUJESZ.
„Przykro mi, kiedy pomyślę, że każdy mógł sobie wejść do naszego domu, gdy nas nie było".

POWIEDZ, CZEGO SOBIE ŻYCZYSZ
I/ALBO OCZEKUJESZ.
„Oczekuję, że ten, kto ostatni wychodzi z domu, sprawdzi, czy zamknął drzwi na klucz".

DO RODZICA
Zamiast obwiniać lub oskarżać:
„Dlaczego zawsze krzyczysz na mnie przy moich koleżankach? Inne matki tak nie robią!"

POWIEDZ, CO CZUJESZ.
„Nie lubię, jak na mnie krzyczysz przy moich koleżankach. To krępujące".

POWIEDZ, CZEGO SOBIE ŻYCZYSZ
I/ALBO OCZEKUJESZ.
„Jeśli zrobię coś, co cię zdenerwuje, to powiedz:»Muszę z tobą chwilkę porozmawiać« i rozmawiaj ze mną na osobności".

Szybkie przypomnienie...

Wyrażanie uznania

NASTOLATCE
Zamiast oceniać:
„Zawsze jesteś taka odpowiedzialna!"

OPISZ, CO ZROBIŁA.
„Chociaż tak się denerwowałaś z powodu próby, zadbałaś o to, żeby zadzwonić, kiedy zorientowałaś się, że się spóźnisz".

OPISZ, CO CZUJESZ.
„Dzięki temu, że zadzwoniłaś, oszczędziłaś mi zmartwienia. Dziękuję!"

OJCU
Zamiast oceniać:
„Dobra robota, tato".

OPISZ, CO ZROBIŁ.
„O rany, poświęciłeś pół soboty, żeby zainstalować dla mnie tę obręcz do koszykówki".

OPISZ, CO CZUJESZ.
„Jestem ci bardzo wdzięczny".

8 Problem seksu i narkotyków

Tego wieczoru grupa była mniejsza. Przenieśliśmy się do biblioteki i rozsiedliśmy wygodnie dookoła stołu konferencyjnego. Kilka osób zaczęło rozmawiać o poprzednim spotkaniu. Jak bardzo poprawiła się atmosfera w domu. Jak od tamtej pory i rodzice, i dzieci, łapiąc się nieraz na powtarzaniu tych samych negatywnych słów, uśmiechali się z zakłopotaniem i mówili: „Jeszcze raz!", po czym zaczynali od początku. I mimo że te nowe słowa brzmiały nieco niezręcznie lub obco, to i tak zapewniały im dobre samopoczucie.

Karen starała się cierpliwie słuchać, ale widziałam, że z trudem się powstrzymuje. Wykorzystując pierwszą przerwę w rozmowie, wybuchnęła:

– Przykro mi, że to, co powiem, nie będzie miłe, a jeszcze bardziej mi przykro, że muszę poruszyć ten temat, ale nadal martwię się czymś, co zaszło na imprezie, na której Stacey była w zeszłym tygodniu! – Zrobiła przerwę, żeby wziąć głęboki oddech. – Słyszałam, że jedna dziewczyna z jej klasy świadczyła usługę seksu oralnego kilku chłopakom. Naprawdę nie jestem pruderyjna i naiwna chyba też nie. Wiem, że nastolatki wyprawiają dzisiaj wszelkie możliwe rzeczy, o których mnie się nie

śniło, kiedy byłam w ich wieku. Ale dwunasto- i trzynastolatki?! Na przyjęciu urodzinowym?! Każda z osób przy stole chciała się włączyć do rozmowy.
- Nie do wiary, prawda? Ale z tego, co czytałam, to się zdarza wszędzie. I uczestniczą w tym nawet młodsze dzieci. I nie tylko na imprezach. Robią to w szkolnej toalecie, w autobusie i w domu, zanim rodzice wrócą z pracy.
- Najgorsze moim zdaniem jest to, że dzieciaki nawet nie uważają tego za jakąś wielką sprawę. Seks oralny jest dla nich tym, czym dla nas był pocałunek na pożegnanie. Nawet nie uważają tego za seks. Przecież to nie jest stosunek, więc dziewczyna jest nadal dziewicą. I nie można zajść w ciążę, więc kombinują, że to bezpieczne.
- To nie jest bezpieczne. I dlatego mnie to przeraża. Mój brat lekarz opowiadał mi, że dzieciaki mogą złapać przez seks oralny niemal te same choroby, którymi można się zarazić poprzez pełny seks, np. opryszczkę jamy ustnej albo rzeżączkę gardła. Mówił, że jedyną ochroną jest prezerwatywa. Ale nawet wtedy nie jest to w stu procentach bezpieczne. Chłopak może mieć opryszczkę na genitaliach lub zmiany chorobowe moszny i żadna prezerwatywa nie pomoże, bo nie zakrywa tego obszaru.
- Niedobrze mi od samego słuchania. Ta cała sytuacja to jakiś koszmar. Jeśli o mnie chodzi, to jedyną ochroną jest powstrzymanie się od tego.
- No tak, ale spójrzmy prawdzie w oczy. Żyjemy dzisiaj w innym świecie. A z tego, co słyszałam, jest to przysługa, którą dziewczyny wyświadczają chłopakom – nie odwrotnie. Niektóre dziewczyny robią to nawet publicznie.
- Też o tym słyszałam. Widocznie dziewczyna jest pod presją, popisuje się, żeby zdobyć w ten sposób popularność. Tylko że nie zdaje sobie sprawy, że wieści szybko się rozchodzą i że będzie miała opinię łatwej albo puszczalskiej.

- Za to notowania chłopaka idą w górę. Wolno mu się przechwalać na prawo i lewo.

- Martwię się i o chłopców, i o dziewczyny. Co potem myślą o samych sobie – kiedy na przykład spotykają się następnego dnia na korytarzu? I w jaki sposób tego rodzaju seks – a przecież jest to seks, bo skoro angażuje narządy płciowe, to jest seksem – wpłynie na ich związki w przyszłości?

Po kolejnych wypowiedziach Karen była coraz bardziej zdenerwowana.

- No dobrze, dobrze – powiedziała. – Może i jest to rozpowszechnione i robi to dużo dzieciaków, ale co ja mam zrobić w tej sprawie? Nie mogę tego ignorować. Wiem, że muszę porozmawiać ze Stacey o tym, co zaszło na imprezie. Ale nawet nie wiem, od czego zacząć. Prawda jest taka, że czuję się zażenowana na samą myśl o poruszaniu z nią tego tematu.

Nastąpiło milczenie. Wszyscy zerkali na siebie niewidzącym wzrokiem, potem popatrzyli na mnie. To nie była łatwa sprawa.

- Jednej rzeczy jestem pewna – zaczęłam. – Czego nie mówić: „Stacey, wiem, co się zdarzyło na przyjęciu, na którym byłaś w zeszłym tygodniu. Jestem zaszokowana i budzi to we mnie odrazę. To najbardziej odrażająca rzecz, o jakiej kiedykolwiek słyszałam! Czy tylko jedna dziewczyna robiła z chłopcami»tę rzecz«? Jesteś pewna? Czy ktoś cię prosił, żebyś to zrobiła? I co, zrobiłaś? Nie okłamuj mnie!".

Zamiast mówić jej o swoim obrzydzeniu, które sięga zenitu, lepiej postarać się o zachowanie neutralnego tonu i zadawać raczej pytania ogólne, a nie osobiste, bo to da szansę na przeprowadzenie pożytecznej rozmowy. Na przykład: „Stacey, dowiedziałam się o czymś, co mnie bardzo zaskoczyło, i chciałabym cię o to spytać. Ktoś mi powiedział, że na przyjęciach dla dzieci dochodzi do oralnego seksu – nawet na tym, na którym byłaś w zeszłym tygodniu".

Obojętnie, czy potwierdzi, czy zaprzeczy, możesz kontynuować rozmowę – i znowu tonem, który nie osądza: „Odkąd to
usłyszałam, cały czas się zastanawiam, czy dziewczyny to robią
dlatego, że czują się zmuszone przez chłopaków? Czy może dlatego, że myślą, że dzięki temu będą popularne? Zastanawiam
się też, co się dzieje, kiedy dziewczyna odmawia".

Kiedy Stacey powie tyle, ile będzie mogła powiedzieć bez
zażenowania, możesz przedstawić swój punkt widzenia. Ale
ponieważ temat ten bywa trudny dla rodziców, możesz przedtem dać sobie trochę czasu na decyzję, co właściwie chcesz jej
zakomunikować.

– Wiem, co chcę zakomunikować – powiedziała Karen ze
smutkiem. – Ale nie sądzę, aby mogła tego wysłuchać.

– Czego nie będzie mogła wysłuchać? – spytała zaskoczona
Lauren.

– Tego, że uważam, iż czymś złym jest wykorzystywanie
jednej osoby przez drugą do zaspokojenia swojej seksualnej
żądzy. I świadczenie komukolwiek jakichkolwiek usług po to,
żeby być popularnym. Uważam, że to poniżające. To brak szacunku dla samego siebie. A dotyczy to chłopca i dziewczyny.

– Według mnie brzmi dobrze – zauważyła Laura. – Dlaczego
nie mogłabyś powiedzieć tego Stacey?

– Chyba mogłabym – westchnęła Karen. – Ale znam moją
córkę. Pewnie mi powie, że nie umiem wyluzować i że jestem
staroświecka, bo tego nie łapię. I że dzieciaki dzisiaj uważają,
że to nic takiego. Po prostu robią to czasem na imprezach. I co
mam jej na to odpowiedzieć?

– Możesz zacząć – powiedziałam – od uznania jej punktu widzenia: „Więc dla ciebie i dla innych młodych, których znasz, to
nic takiego". Potem możesz przedstawić punkt widzenia osoby
dorosłej, czyli swój. „Według mnie seks oralny to bardzo osobisty,
intymny akt. A nie rozrywka towarzyska. Nie coś, co się robi dla

zabawy. I cały czas się zastanawiam, czy te dzieci, które w tym uczestniczą, nie mają potem złego samopoczucia i nie żałują, że to zrobiły". Obojętnie, co powie na to Stacey, ma temat do przemyślenia. Wie przynajmniej, jaka jest opinia jej matki.

– Właśnie! – wtrącił Michael. – A kiedy już będziecie o tym mówić, Stacey powinna się również dowiedzieć o ryzyku zdrowotnym. O chorobach przenoszonych drogą płciową, którymi można się zarazić poprzez seks oralny. I każdy inny seks, jeśli o to chodzi. Musi zrozumieć, że niektóre z tych chorób są uleczalne, a niektóre nie. Nawet zagrażają życiu. Nie ma z tym żartów.

Laura potrząsnęła głową.

– Gdyby tu była moja córka, to już w tej chwili zasłaniałaby uszy. Nie jest w stanie słuchać, kiedy mówię za długo o wszystkich strasznych chorobach, które może złapać.

– Ale przecież jesteśmy rodzicami! – wykrzyknął Michael. – Czy dzieciakom się to podoba, czy nie, musimy im jak najwięcej mówić o seksie dla ich własnego bezpieczeństwa.

Laura wyglądała na zgnębioną.

– Wiem, że masz rację – przyznała – ale prawdę mówiąc, strasznie się boję tej poważnej rozmowy z córką.

– Nie ty jedna – powiedziałam. – Ta poważna rozmowa może być krępująca zarówno dla rodziców, jak i dla dzieci. Poza tym temat seksu jest zbyt ważny i zbyt skomplikowany, aby go załatwić jedną rozmową. Zamiast tego lepiej poszukiwać sposobności do rozmów na bieżąco. Na przykład kiedy oglądacie film albo jakiś program telewizyjny, słuchacie wiadomości radiowych lub czytacie artykuł w gazecie, możecie wykorzystać to, co pokazują czy mówią, do nawiązania rozmowy.

Moja sugestia wywołała natychmiastową reakcję. Najwyraźniej niektóre osoby stosowały już tę metodę ze swoimi dziećmi. Przedstawiam w formie rysunków niektóre z ich propozycji.

Jednorazowa rozmowa o seksie może być trudna do przeprowadzenia dla rodzica i trudna do wysłuchania dla nastolatka.

KORZYSTAJ Z OKAZJI DO PRZYPADKOWYCH ROZMÓW, SŁUCHAJĄC RADIA...

CZYTAJĄC GAZETĘ...

OGLĄDAJĄC RAZEM SERIAL TELEWIZYJNY...

JADĄC SAMOCHODEM.

Joan podniosła rękę.

– Moja matka nigdy, przenigdy nie byłaby w stanie rozmawiać ze mną na którykolwiek z tych tematów. Umarłaby ze wstydu. Zrobiła jednak jedną rzecz. Kiedy miałam jakieś dwanaście lat, dała mi książkę o „tych sprawach". Udawałam, że mnie to nie interesuje, ale przeczytałam ją od deski do deski. A kiedy przychodziły do mnie koleżanki, zamykałyśmy się w łazience, brałyśmy książkę i czytałyśmy ją od nowa, chichocząc przy oglądaniu ilustracji.

– W tym pomyśle z książką – dorzucił Jim – podoba mi się, że daje to dziecku odrobinę prywatności – okazję do przejrzenia materiału bez drugiej osoby zaglądającej przez ramię. Ale żadna książka nie zastąpi rodziców. Dzieci chcą wiedzieć, co myślą ich rodzice. Czego od nich oczekują.

– I właśnie to mnie martwi – powiedziała Laura. – Te „oczekiwania". No bo jeśli rozmawiamy z dziećmi o seksie i dajemy im na ten temat książki z ilustracjami, to czy nie odbierają przekazu, że o c z e k u j e m y, aby uprawiały seks, i że mają na to nasze przyzwolenie?

– Wcale nie – odparł Michael. – Nie, jeśli wyraźnie określimy, że udzielamy im tylko informacji, a nie zgody. Poza tym wydaje mi się, że jeśli nie przekażemy dzieciakom podstawowych informacji, to możemy narazić je na ryzyko. Skoro uważamy, że powinny cokolwiek wiedzieć dla własnego bezpieczeństwa, to jedynie wtedy będziemy mieć pewność, że to wiedzą, jeśli sami przekażemy im informacje. – Michael przerwał na chwilę, szukając w głowie jakiegoś przykładu. – Na przykład ilu chłopaków wie, w jaki sposób bezpiecznie używać prezerwatywy: jak ją nakładać i zdejmować? I ilu z nich ma świadomość, że trzeba sprawdzić datę przydatności na opakowaniu? Bo skruszała prezerwatywa jest nic niewarta.

– O rany – powiedziała Laura. – Sama tego nie wiedziałam...
Zastanawiam się też, ile dziewcząt uświadamia sobie, że obojętnie, co mówią przyjaciółki, mogą zajść w ciążę przy pierwszym stosunku, nawet jeśli mają miesiączkę.

Michael przytaknął energicznie.

– Właśnie takie rzeczy mam na myśli – stwierdził. – I jest jeszcze coś. Założę się, że większość dzieciaków wcale nie pomyśli o tym, że nawet jeśli uprawiają seks z jedną osobą, która przedtem też uprawiała seks tylko z jedną osobą, to tamta osoba mogła przecież uprawiać seks z wieloma innymi partnerami. I kto wie, jakie choroby mogły się przenieść w ten sposób!

Tony zmarszczył brwi.

– Wszystko, co teraz powiedzieliście, jest bardzo ważne. To znaczy, macie rację. Trzeba powiedzieć dzieciakom o zagrożeniach. Ale czy nie powinniśmy im również powiedzieć o dobrej stronie seksu? Że to normalne, naturalne... jedna z życiowych przyjemności. Hej, przecież w ten sposób wszyscy się tu znaleźliśmy!

Gdy ucichł śmiech, powiedziałam:

– Mimo to, Tony, te normalne, naturalne doznania mogą czasami być przytłaczające dla naszych dzieci i wprowadzać zamęt w ich osądach. Nastolatki żyją dzisiaj pod ogromną presją. Nie tylko ze strony hormonów i rówieśników, ale także kultury masowej i popularnej przesyconej treściami seksualnymi, która bombarduje ich śmiałymi scenami erotycznymi w telewizji, kinie, na wideoklipach i w Internecie.

Tak, to normalne, że dzieci chcą eksperymentować, doświadczyć tego, co zobaczyły lub o czym słyszały. I oczywiście, że chcemy im przekazać, że seks jest jedną z życiowych przyjemności. Ale musimy również pomóc naszym nastolatkom w wyznaczeniu granic. Musimy przekazać im nasze wartości i dać pewne wskazówki, których będą mogli się trzymać.

- Na przykład? - zapytał Tony.

Zastanawiałam się chwilę.

- Na przykład... myślę, że należy powiedzieć młodym ludziom, że nie powinni pozwalać, aby ktokolwiek zmuszał ich do takich zachowań seksualnych, jakie im nie odpowiadają. Nie muszą doświadczać nieprzyjemnych rzeczy w związku z seksem, ale mogą dać drugiej osobie do zrozumienia, co czują. Mogą po prostu powiedzieć: „Nie chcę tego robić".

- Całkowicie się zgadzam! - wykrzyknęła Laura. - A jeśli ktoś tego nie uszanuje, to nie zasługuje na to, żeby się z nim umawiać... I uważam też, że trzeba wpoić dzieciom przekonanie, że uprawianie seksu nie jest czymś, co się robi tylko dlatego, że naszym zdaniem wszyscy wokoło to robią. Każdy musi robić to, co jest dla niego dobre. Poza tym kto wie, jak to wygląda naprawdę? Być może niektóre dzieciaki rzeczywiście uprawiają seks, ale założę się, że wiele z nich tego nie robi, tylko kłamie na ten temat.

- À propos tego, żeby robić to, co jest dla nas dobre - dodała Joan - to przecież zanim nastolatki w ogóle pomyślą o tym, aby oddać drugiej osobie swoje ciało i duszę, powinny zadać sobie kilka ważnych pytań: „Czy ta osoba rzeczywiście żywi do mnie uczucie?", „Czy mogę tej osobie zaufać?", „Czy mogę być sobą przy tym człowieku?".

- Według mnie - powiedziała Karen - podstawowe przesłanie, jakie dzieci powinny usłyszeć od rodziców, brzmi: „Poczekaj. Nie ma potrzeby się spieszyć". Sądzę, że wielkim błędem nastolatków jest uprawianie seksu czy chodzenie ze sobą, czy jak to tam dziś nazywają, w tak młodym wieku.

- Zgadzam się w całej pełni! - zawołała Joan. - W tym wieku powinni zajmować się nauką i angażować w różne inne działania - sport, hobby, koła zainteresowań - a także pracować jako wolontariusze dla swojej społeczności. To nie jest czas na to, żeby komplikować sobie życie związkami seksualnymi. Wiem, że nie chcą tego słuchać, ale mimo to powinniśmy im mówić, że na niektóre rzeczy warto poczekać.

– Ale zawsze będą jakieś dzieciaki, które nie chcą czekać – zauważył Michael. – I jeśli mamy z czymś takim do czynienia, jeśli są zdecydowani „pójść na całość", to powinni uzyskać informacje od rodziców bez owijania w bawełnę. Ja bym im to objaśnił. Powiedziałbym, że muszą przeprowadzić poważną rozmowę z przyszłym partnerem, aby mogli wspólnie zadecydować, jaki rodzaj antykoncepcji k a ż d e   z   n i c h chce stosować. Potem o b y d w o j e powinni to uzgodnić z lekarzem. Moim zdaniem, jeśli nastolatki uważają, że są wystarczająco dorosłe, aby uprawiać seks, to muszą się do tego przygotować tak jak dorośli. A to oznacza, że trzeba myśleć o konsekwencjach i ponosić odpowiedzialność.

Jim potakująco skinął głową.

– Michael, to jasne postawienie sprawy. I oczywiście to, co przed chwilą powiedziałeś, odnosi się od wszystkich dzieciaków – obojętnie, czy są hetero– czy homoseksualne.

Zapadła nagła cisza. Kilka osób poruszyło się niespokojnie.

– Dobrze, że wspomniałeś o tym, Jim – odezwałam się.

– Musimy liczyć się z taką możliwością, że młody człowiek może być homoseksualny i że wszystkie środki ostrożności, które wymienił Michael, mają zastosowanie również w takiej sytuacji.

– Powiedziałem o tym chyba dlatego – powiedział Jim z wahaniem – że pomyślałem o moim bratanku. Niedawno skończył szesnaście lat, a kilka tygodni temu wyznał mi, że jest gejem. Powiedział, że mówi to właśnie mnie, ponieważ znając mnie, jest całkowicie pewny, że przyjmę to ze spokojem. Martwił się jednak, jak to przyjmą jego rodzice. Zdaje się, że już od dłuższego czasu miał zamiar im to powiedzieć, ale się bał. Nie tyle reakcji matki. Nie wiedział jednak, co zrobi jego ojciec, kiedy się dowie.

Rozmawialiśmy przez długi czas o ewentualnych skutkach i w pewnym momencie stwierdził: „Zrobię to, stryjku. Powiem im".

No i zrobił. Powiedział im. Podobno początkowo oboje bardzo się zmartwili. Ojciec chciał, żeby poszedł do terapeuty. Matka starała się go pocieszać. Tłumaczyła, że nie ma nic niezwykłego w tym, że w wieku kilkunastu lat pociągają nas czasami osoby tej samej płci, i że na pewno mu to przejdzie.

Wtedy powiedział jej, że mu to nie przejdzie, że ma takie odczucia już od długiego czasu i że ma nadzieję, iż oboje to zrozumieją. Na pewno bardzo trudno było im tego słuchać, ale stopniowo zdawali się z tym oswajać. Na koniec to właśnie reakcja ojca najbardziej go zaskoczyła. Ojciec powiedział, że bez względu na wszystko zawsze będzie ich synem i że zawsze może liczyć na ich miłość i wsparcie.

Uwierzcie, że ten młody człowiek naprawdę poczuł wielką ulgę. I jego stryj również. Bo gdyby matka albo ojciec odwrócili się od niego z tego powodu, to nie wiem, co by było. Czytałem wiele historii o dzieciakach, które wpadają w głęboką depresję albo nawet myślą o samobójstwie, kiedy rodzice odrzucają ich dlatego, że są gejami.

– Twój bratanek miał szczęście – powiedziałam. – Rodzicom nigdy nie jest łatwo pogodzić się z homoseksualizmem nastoletniego dziecka. Ale jeśli potrafimy zaakceptować nasze dzieci takimi, jakimi naprawdę są, to dajemy im wspaniały dar – siłę do tego, żeby były sobą, i odwagę do radzenia sobie z uprzedzeniami zewnętrznego świata.

I znowu na długą chwilę zapanowało milczenie.

– Jest coś jeszcze – powiedziała powoli Joan. – Obojętnie czy nasze dzieci są hetero- czy homoseksualne, wszystkim im należy uświadomić, że kiedy zdecydują się dodać do swojego związku seks, to już nigdy nie będzie tak, jak było. Wszystko się bardziej komplikuje. Wszystkie uczucia stają się bardziej intensywne. Jeśli coś się nie uda, jeśli nastąpi zerwanie – co przecież nastolatkom przytrafia się często – może im to przynieść ogromną szkodę.

Pamiętam, co się stało z moją najlepszą przyjaciółką w liceum. Miała bzika na punkcie jednego chłopaka, dała się namówić na sypianie z nim, a kiedy ją rzucił dla jakiejś innej, rozsypała się. Jej oceny się pogorszyły, przez bardzo długi czas nie mogła jeść, spać, uczyć się ani na niczym skupić.

Jim rozłożył ręce.

– No tak – oznajmił. – Po wysłuchaniu tego wszystkiego zaczynam myśleć, że wszystkie argumenty przemawiają za tym, aby zachować wstrzemięźliwość. Spójrzmy prawdzie w oczy, to jedyna metoda, która jest w stu procentach bezpieczna. Wiem, że zaraz ktoś powie, że dzieciaki wcześniej dzisiaj osiągają dojrzałość, a później się żenią, i że nie można od nich oczekiwać, aby przez tak wiele lat zachowywali abstynencję, ale przecież to nie oznacza, że nie mogą nawiązać pewnej bliskości. Mogą trzymać się za ręce, przytulać, całować, mogą nawet posunąć się do tego, co zwykliśmy nazywać pierwszą bazą. To jest w porządku… To znaczy, w porządku dla każdego oprócz mojej córki.

Pozostali uśmiechnęli się. Laura wydawała się zatroskana.

– Łatwo tak siedzieć przy stole i decydować, co powinniśmy powiedzieć naszym dzieciom, co wolno im robić, a czego nie. Ale nie jesteśmy w stanie śledzić, co one robią przez dwadzieścia cztery godziny na dobę. I obojętnie, co im powiemy, to i tak mogą nas nie posłuchać.

– Masz rację, Lauro – powiedziałam. – Nie ma żadnych gwarancji. Obojętnie, co mówią rodzice, niektóre dzieciaki i tak będą sprawdzać granice, a inne je przekraczać. Mimo to wszystkie nowe nawyki, które wprowadzaliście w życie przez kilka ostatnich miesięcy, znacznie zwiększają szanse na to, że dzieci zechcą was posłuchać. A co jeszcze ważniejsze, nabiorą pewności siebie, która pozwoli im słuchać swojego wewnętrznego głosu i wytyczać własne granice.

– Święte słowa! – wykrzyknął Tony. – Mam wielką nadzieję, że to, co przed chwilą powiedziałaś, odnosi się też do narkotyków, bo mam ostatnio niedobre podejrzenia wobec dzieciaków, z którymi zaczął się zadawać mój syn. Nie mają najlepszej opinii – jeden z nich był zawieszony za to, że ćpał w szkole – i nie chcę, aby wywierał wpływ na mojego syna. To znaczy chciałbym wiedzieć, co mogę zrobić, aby im pokrzyżować plany, jeśli będą próbowali namówić syna na narkotyki. Co mam mu powiedzieć?

– A co chciałbyś powiedzieć? – zapytałam.

– To, co powiedział mi mój ojciec.

– Co to było?

– Że połamie mi wszystkie kości, jeśli kiedykolwiek przyłapie mnie na braniu narkotyków.

– Czy to cię powstrzymało?

– Nie. Uważałem tylko, żeby mnie nie przyłapał.

Roześmiałam się.

– A zatem teraz wiesz przynajmniej, czego nie robić.

Włączyła się Laura:

– A gdybyś mu powiedział: „Posłuchaj, jeśli ktoś próbuje cię namówić na narkotyki, po prostu powiedz nie".

Tony spojrzał na mnie pytająco.

– Problem z takim podejściem polega na tym – stwierdziłam – że samo w sobie jest ono niewystarczające. Dzieci muszą usłyszeć coś więcej niż tylko po prostu powiedz nie. Wywiera się dziś na nie ogromną presję, aby powiedziały tak. Trudno jest się oprzeć tej całej mieszance przekazów kultury masowej, łatwej dostępności narkotyków i presji rówieśników: „Musisz tego spróbować...", „Zaufaj mi, spodoba ci się...", „To jest naprawdę ekstra...", „Mówię ci, to jest super...", „Pomaga się odprężyć...", „No dalej, nie pękaj...".

I jakby tego było mało, naukowcy twierdzą obecnie, że chociaż nastolatek może się wydawać dojrzały fizycznie, to jego mózg nadal jest w fazie rozwoju. Ta część, która sprawuje kontrolę nad oceną impulsów i ruchu, jest obszarem mózgu rozwijającym się na samym końcu.

– To takie przerażające – powiedziała Laura.

– Istotnie – zgodziłam się – ale jest też dobra wiadomość: że wszyscy macie większą władzę, niż wam się zdaje. Wasze dzieci bardzo się przejmują tym, co myślicie. Być może nie zawsze to okazują, ale wasze wartości i przekonania są dla nich bardzo ważne i mogą być decydującym czynnikiem przy podejmowaniu decyzji o tym, czy spróbować narkotyków lub alkoholu, czy raczej tego unikać. Możesz, Tony, powiedzieć synowi na przykład tak: „Mam wielką nadzieję, że twój przyjaciel nie bierze już narkotyków. To miły chłopak i strach pomyśleć, że mógłby zrujnować sobie przyszłość, faszerując się jakimiś świństwami".

Pamiętajmy, że nie tylko nasze słowa są w stanie powstrzymać dzieci przed ryzykownymi zachowaniami, ale także przykład, który dajemy. Najdobitniej przemawia do dzieci to, co sami robimy albo czego nie robimy.

– I to jest właśnie sedno sprawy – zauważyła Joan. – Kiedyś miałam szlaban, bo mój ojciec dowiedział się, że na prywatce wypiłam jednego małego drinka. A przecież co wieczór widziałam, jak pije drinka przed obiadem i piwo do obiadu, więc myślałam, że skoro on tak może, to mnie to również nie zaszkodzi.

– Dobrze chociaż, że twój ojciec wiedział, co się z tobą dzieje – powiedziała Laura – i poczuwał się do odpowiedzialności. Dzisiaj wielu rodziców nie ma o niczym pojęcia. Myślą, że skoro dziecko dobrze sobie ze wszystkim radzi, to wszystko jest w porządku. Ale nigdy nie można mieć całkowitej pewności. Przeczytałam ostatnio artykuł o nastolatkach z bogatych rodzin. Byli najlepszymi uczniami, należeli do wszystkich możliwych drużyn, a w każdy weekend urządzali libacje. I rodzice dowiedzieli się o tym dopiero wtedy, kiedy kilkoro z nich trafiło do szpitala, a jeden o mało nie umarł.

– Ta historia to poważne ostrzeżenie – powiedziałam. – Takie libacje urządza się teraz w różnych środowiskach. To wielkie zmartwienie dla rodziców, zwłaszcza odkąd wiadomo, że picie w wieku kilkunastu lat jest bardziej niebezpieczne, niż kiedyś sądzono. Wszystkie ostatnie badania wykazują, że mózg w wieku dojrzewania znajduje się w kluczowej fazie rozwoju. Alkohol niszczy komórki mózgu, powoduje uszkodzenia neurologiczne, utratę pamięci, trudności z nauką i generalnie zagraża zdrowiu młodego człowieka. Istnieją również nowe dowody, że im wcześniej dzieci zaczynają pić, tym większe jest ryzyko, że w dorosłym wieku będą alkoholikami.

– O rany! – powiedział Tony. – Jak mamy teraz wbić tę wiedzę do głowy naszych otumanionych dzieciaków? Oni uważają, że nic złego nie może im się przydarzyć. Idą na imprezę i podpuszczają jeden drugiego, żeby zobaczyć, kto jest w stanie więcej wypić, aż zwymiotuje albo straci przytomność.

– I dlatego – dodałam – musimy wysławiać się bardzo jasno i bardzo konkretnie. Możemy powiedzieć dzieciom: „Picie na umór może cię zabić. Wypicie dużej ilości alkoholu w krótkim czasie może doprowadzić do zatrucia alkoholowego. A zatrucie alkoholowe powoduje śpiączkę lub śmierć. To fakt medyczny".

Joan chwyciła się za głowę.

– To mnie przerasta – jęknęła. – Już sam alkohol jest wystarczającym złem, a z tego, co czytałam, wynika, że nastolatki, które dużo piją, biorą także narkotyki. I jest tyle nowych rzeczy, o których dawniej nawet się nie słyszało. To już nie tylko trawka, koka czy LSD. Teraz jest ecstasy i...

Pozostali szybko dodawali kolejne pozycje do listy Joan:

- ...i roofies, i pigułka gwałtu.
- I coś, co się nazywa ketamina albo „super K".
- A co powiecie na metamfetaminę? Podobno to uzależnia nawet bardziej niż kokaina.
- Słyszałam o czymś nowym, co młodzież wdycha, żeby być na haju. To się nazywa poppers.
- O rany – powiedział Tony, potrząsając głową – ile to trzeba wiedzieć, prawda?
- To może się wydawać przytłaczające – przyznałam – ale te informacje są dostępne wszędzie: w książkach, czasopismach, w Internecie. Można zadzwonić na gorącą linię do spraw uzależnień od substancji chemicznych i poprosić o najnowsze ulotki. Można porozmawiać z innymi rodzicami w waszym miejscu zamieszkania i dowiedzieć się, co oni wiedzą. A kiedy będziesz się tym zajmował, możesz też zapytać swojego syna, co wie na temat środków, które bierze dzisiaj młodzież w jego szkole.
- No tak – powiedział Tony – wygląda na to, że mam pełne ręce roboty.
- Wszyscy rodzice nastolatków mają pełne ręce roboty – stwierdziłam. – Wszyscy musimy przekazać naszym dzieciom wyraźną informację, że ich matki i ojcowie wiedzą, co się dzieje, interesują się, są gotowi zrobić wszystko, co będzie konieczne, aby ich ochronić.

I znowu wracamy do tego, że jednorazowy wykład nie rozwiązuje problemu. Dzieci muszą poznawać wasze poglądy na temat narkotyków na różne sposoby i w różnych sytuacjach. Muszą czuć się na tyle swobodnie, aby móc zadawać pytania, odpowiadać na wasze pytania i analizować własne przemyślenia i odczucia.

A więc... zabierzmy się do ostatniego dzieła! Jak możemy wykorzystać każdą najmniejszą sposobność, którą przynosi każdy dzień, aby wciągnąć dzieci do rozmowy o narkotykach? Jakie rozmowy z naszymi nastolatkami jesteśmy w stanie sobie wyobrazić?

Po wielu próbach grupa zarysowała w wyobraźni następujące scenariusze.

WYKORZYSTUJ NADARZAJĄCE SIĘ OKAZJE DO ROZMOWY O NARKOTYKACH I INNYCH UŻYWKACH,

NP. CZYTAJĄC GAZETĘ...

OGLĄDAJĄC REKLAMĘ...

KOMENTUJĄC COŚ, CO ZAUWAŻYŁEŚ...

PRZEGLĄDAJĄC CZASOPISMO...

DAJĄC PRZYKŁAD...

KOMENTUJĄC AUDYCJĘ RADIOWĄ.

W czasie omawiania ostatniego przykładu Laura gwałtownie podniosła rękę.

– Do tej pory rozmawialiśmy tylko o tym, jak powstrzymać dzieci przed spróbowaniem narkotyków. Ale co zrobić, jeśli dziecko już je bierze? A jeśli jest już za późno?

– Nigdy nie jest za późno, aby wypróbować rodzicielską władzę – odparłam. – Nawet jeśli to tylko jednorazowy eksperyment, to i tak nie wolno go lekceważyć. Trzeba porozmawiać z nastolatkiem, przedstawić zagrożenia i raz jeszcze jasno określić swoje wartości i oczekiwania.

Jeśli jednak podejrzewacie, że wasz nastolatek bierze już narkotyki z pewną regularnością, jeśli zaobserwowaliście zmiany w zachowaniu, ocenach, wyglądzie, postępowaniu, doborze przyjaciół, zmiany nawyków związanych ze snem i jedzeniem, to znaczy, że trzeba przejść do działania. Musicie powiedzieć dziecku o tym, co zauważyliście. Wysłuchajcie całej historii z jego punktu widzenia. Dowiedzcie się jak najwięcej o tym, co się naprawdę dzieje. Zadzwońcie do lokalnego lub krajowego ośrodka do spraw zwalczania narkomanii, aby uzyskać dodatkowe informacje. Spotkajcie się z waszym lekarzem. Sprawdźcie, jakie ośrodki oferujące profesjonalne porady i terapię są dostępne w waszym miejscu zamieszkania. Innymi słowy, szukajcie pomocy. Sami sobie z tym nie poradzicie.

– Mam nadzieję, że nigdy nie będę zmuszona tego robić – westchnęła Laura. – Może będę szczęściarą i moje dzieci okażą się wspaniałe.

– Nie musisz polegać wyłącznie na szczęściu, Lauro – powiedziałam. – Masz wiedzę. A co jeszcze ważniejsze, świadomość, że oprócz niej potrzebne jest serce. Wszyscy to rozumiecie. Przez kilka ostatnich miesięcy wprowadziliście wiele zmian w sposobie porozumiewania się z dziećmi. A wszystkie te zmiany –

zarówno duże, jak i małe – mogą gruntownie odmienić wasze relacje z dziećmi.

Reagując na uczucia nastoletnich dzieci, szukając razem rozwiązania problemów, zachęcając dzieci do osiągania celów i uświadamiania sobie, jakie mają marzenia, dajecie im codziennie do zrozumienia, jak bardzo je szanujecie, kochacie i cenicie. A młodym ludziom, którzy czują się docenieni przez rodziców, łatwiej jest cenić samych siebie, dokonywać odpowiedzialnych wyborów, unikać takich zachowań, które nie są w ich własnym najlepiej pojętym interesie lub mogą zrujnować ich przyszłość.

Milczenie. To było długie spotkanie, a jednak wydawało się, że nikt nie ma ochoty wychodzić.

– Będzie mi brakowało tych spotkań – westchnęła Laura. – Nie tylko samych ćwiczeń, ale tego wsparcia, które tu od wszystkich otrzymywałam. – Jej oczy zwilgotniały. – I będzie mi brakowało opowieści o waszych dzieciach.

Karen uścisnęła ją. To samo uczynił Michael.

– Najbardziej ze wszystkiego – powiedziała Joan – będzie mi brakowało tej świadomości, że są ludzie, z którymi mogę porozmawiać, jeśli pojawi się jakiś problem.

– A jak wszyscy dobrze wiemy – skomentował posępnie Jim – jeśli masz nastoletnie dzieci, to ciągle pojawiają się nowe problemy. Dlatego tak wspaniale było tu przychodzić, by znaleźć zrozumienie u ludzi, którzy jadą na tym samym wózku.

– Hej – powiedział Tony – a kto mówi, że mamy z tego rezygnować? A gdybyśmy dalej się spotykali? Może nie raz w tygodniu, ale chociaż co miesiąc albo co dwa?

Propozycja Tony'ego wywołała wybuch entuzjazmu.

Wszyscy patrzyli na mnie wyczekująco.

Musiałam się chwilę zastanowić. Zgromadzeni tu rodzice chcieli tego, co pragnęłabym zapewnić wszystkim rodzicom nastolatków – nieustającego systemu wsparcia. Chcieli mieć poczucie, że nie są już osamotnieni. Chcieli czerpać pocieszenie z faktu, że można zrzucić ciężar ze swoich barków na barki ludzi, którzy na pewno okażą zrozumienie. Chcieli mieć nadzieję, która rodzi się dzięki wymianie myśli i dostrzeżeniu nowych możliwości. Przyjemność dzielenia się z drugim człowiekiem drobnymi zwycięstwami.

– Jeśli wszyscy tego chcecie – powiedziałam do grupy – to dajcie mi znać. Przyjadę.

Szybkie przypomnienie...

Seks i narkotyki

Zamiast jednego długiego wykładu („Wiem, że uważasz, że wszystko wiesz o seksie i narkotykach, ale ja myślę, że powinniśmy o tym porozmawiać").

WYKORZYSTUJ CODZIENNE SYTUACJE
DO NAWIĄZANIA ROZMOWY

SŁUCHAJĄC RADIA. „Czy sądzisz, że to, co powiedział przed chwilą ten psycholog, może być prawdą? Że dzieciom trudno jest odmówić brania narkotyków, bo nie chcą wyjść na mięczaków albo stracić przyjaciół?"

OGLĄDAJĄC TELEWIZJĘ. „Według tej reklamy, żeby dziewczyna wzbudziła zainteresowanie chłopaka, musi tylko użyć szminki do ust we właściwym kolorze".

CZYTAJĄC CZASOPISMO. „Co o tym myślisz? Posłuchaj, co piszą:»Czasami młodzież sięga po narkotyki, żeby dobrze się poczuć. A potem musi brać narkotyki tylko po to, żeby czuć się normalnie«".

OGLĄDAJĄC FILM. „Czy ta ostatnia scena ma coś wspólnego z rzeczywistością? Czy dwoje nastolatków, którzy dopiero co się poznali, wskakuje razem do łóżka?"

CZYTAJĄC CODZIENNĄ GAZETĘ. „Jak będziesz miał chwilę, przeczytaj ten artykuł o nastolatkach i piciu na umór. Ciekawi mnie twoja opinia".

SŁUCHAJĄC MUZYKI. „Jak ci się podobają słowa tych piosenek? Czy myślisz, że mogą wpłynąć na to, w jaki sposób chłopcy traktują dziewczyny?"

Gdy spotkamy się następnym razem...

W kolejnych dniach moje myśli wiele razy wędrowały z powrotem do tamtej grupy.

Odbyliśmy razem długą podróż. Różni ludzie rozpoczęli ją z różnymi nadziejami, różnymi obawami i różnymi celami, które chcieli osiągnąć. Jednak bez względu na to, z jakich powodów przyszli na zajęcia, wszyscy mieli satysfakcję, widząc, że ich nowe umiejętności nie tylko poprawiły relacje z nastoletnimi dziećmi, ale także sprawiły, że dzieci zaczęły zachowywać się bardziej odpowiedzialnie. Osiągnięcia, z których wszyscy mogliśmy być zadowoleni!

A jednak cieszyłam się, że spotkamy się ponownie. Da mi to okazję do podzielenia się z rodzicami tym, co narastało we mnie z coraz większą wyrazistością – szerszym spojrzeniem na to, czego dotyczyła nasza wspólna praca.

Następnym razem powiem im, że jeśli prawdą jest, iż dzieci uczą się z życia, to przez tych kilka ostatnich miesięcy ich dzieci nauczyły się z życia najbardziej podstawowych zasad porozumiewania się opartego na wzajemnej troskliwości. Każdego dnia pośród napięć rodzinnego życia ich nastoletnie dzieci uczyły się, że:

> **Uczucia mają znaczenie.** Nie tylko własne, ale także ludzi, z którymi się nie zgadzamy.
> **Uprzejmość ma znaczenie.** Można wyrazić gniew, nie obrażając nikogo.
> **Słowa mają znaczenie.** To, co postanowimy powiedzieć, może wywołać żal albo wzbudzić dobrą wolę.
> **W relacji opartej na troskliwości nie ma miejsca na karę.** Wszyscy ciągle się stajemy – możemy popełniać błędy, ale potrafimy stawić czoło naszym błędom i naprawić je.
> **Różnice między nami nie są nie do pokonania.** Problemy, które wydają się nie do rozwiązania, mogą zostać pokonane, jeśli wysłuchamy z szacunkiem drugiej strony, wykażemy kreatywność i wytrwałość.
> **Wszyscy musimy czuć się cenieni.** Nie tylko za to, kim jesteśmy teraz, ale za to, kim możemy się stać.

Gdy spotkamy się następnym razem, powiem rodzicom, że każdy dzień przynosi nowe możliwości. Każdy dzień daje im okazję do zademonstrowania postawy i języka, który może przydać się ich nastoletnim dzieciom w obecnej chwili i we wszystkich nadchodzących latach.

Dzieci są naszym darem dla przyszłości. To, czego doświadczą dzisiaj w swoich rodzinach, da im siłę do przekazania światu wyniesionych z domu metod, które afirmują godność i człowieczeństwo wszystkich ludzi.

To właśnie powiem rodzicom – następnym razem.